C0-AAX-845

〈몬테크리스토 백작〉은
〈삼총사〉를 쓴 뒤마의
작품이야.
1 동물농장
2 걸리버 여행기
3 좁은 문
4 돈 키호테
5 죄와 벌
6 정글북
7 지킬 박사와 하이드
8 전쟁과 평화
9 지구에서 달까지
10 허클베리 핀의 모험
11 비밀의 화원
12 이상한 나라의 앨리스
13 아큐정전
14 변신
29 파우스트
30 파랑새
31 톰 아저씨의 오두막
32 폭풍의 언덕
33 작은 아씨들
34 알프스 소녀 하이디
35 크리스마스 캐럴
36 보물섬
37 톰 소여의 모험
38 80일간의 세계일주
39 사람은 무엇으로 사는가
40 안네의 일기
41 어린 왕자
42 꼬마 철학자
56 해저 2만 리
57 별
58 적과 흑
59 압록강은 흐른다
60 시턴 동물기
61 도리언 그레이의 초상
62 난중일기

15 레 미제라블
16 어머니
17 오즈의 마법사
18 허풍선이 남작의 모험
19 도련님
20 제인 에어
21 올리버 트위스트
22 피터 팬
23 위대한 개츠비
24 닐스의 이상한 모험
25 오만과 편견
26 로빈슨 크루소
27 홍당무
28 타임머신
43 장 크리스토프
44 오페라의 유령
45 삼총사
46 테스
47 1984년
48 파브르 곤충기
49 검은 고양이
50 베니스의 상인
51 노트르담의 꼽추
52 삼국유사
53 바람과 함께 사라지다
54 열하일기
55 키다리 아저씨
63 쿠오바디스
이 작품은 억울한 누명을 쓰고 감옥에 갇힌 에드몽 당테스가 감옥을 탈출해 통쾌한 복수를 하는 이야기야.
뒤마는 프랑수아 피코라는 실재 인물의 이야기를 듣고 이 작품의 소재를 얻었대.
이야기를 읽다 보면 잠시도 긴장을 늦출 수 없을 거야.
논술 명작 64
몬테크리스토 백작

아이세움 논술 | 명작 64

몬테크리스토 백작

감수 및 개발진

감수 방민호

서울대 국문과, 같은 과 대학원을 졸업했습니다. 제1회 창비신인평론상과 제18회 김달진문학상을 수상했으며, 현재 서울대 국문과 교수로 재직 중입니다. 〈비평의 도그마를 넘어〉, 〈문명의 감각〉을 비롯한 많은 책을 쓰고 엮었습니다.

편집 · 진행 비단구두

비단구두는 밥만큼 아이들 책을 좋아하는 사람들이 모여 어린이들에게 꼭 필요한 이야기와 철학이 담긴 책을 만드는 아동 도서 전문 기획회사입니다.

캐릭터 디자인 아이원커뮤니케이션(www.ionecom.co.kr)

아이원커뮤니케이션은 도전하는 창조적 정신과 책을 사랑하는 열정으로 우리 생활 곳곳에 꼭 필요한 좋은 책을 만들고자 탄생한 Book 콘텐츠 기획 · 제작 전문 회사입니다.

아이세움 논술 | 명작 64
몬테크리스토 백작
원작 알렉상드르 뒤마 | 엮음 성주현 | 그림 안소웅 | 감수 방민호
펴낸날 2008년 12월 30일 초판 1쇄, 2013년 10월 25일 초판 6쇄
펴낸이 김영진

본부장 조은희 | 사업실장 이영호
편집장 박철주 | 편집 · 진행 박희정, 위혜정, 고여주, 이유진 | 디자인 강륜아
펴낸곳 (주)미래엔 | 주소 서울시 서초구 잠원동 41-10
전화 마케팅 02)3475-3843~4 편집 02)3475-3924 | 팩스 02)541-8249
등록 1950년 11월 1일 제16-67호 | 홈페이지 www.i-seum.com

ISBN 978-89-378-4905-3 74860
ISBN 978-89-378-4116-3 (세트)

· 책값은 뒤표지에 있습니다.
· 파본은 구입처에서 교환해 드리며, 관련 법령에 따라 환불해 드립니다. 다만, 제품 훼손 시 환불이 불가능합니다.

아이세움은 (주)미래엔의 어린이책 브랜드입니다.

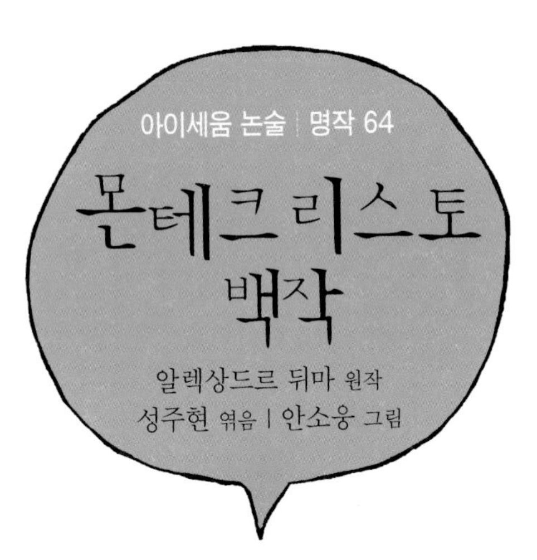
아이세움 논술 | 명작 64
몬테크리스토
백작
알렉상드르 뒤마 원작
성주현 엮음 | 안소웅 그림

아이세움
i-seum

| 머리말 |

명작은 인간과 사회를 이해하는 첫걸음입니다

많은 사람들에게 재미와 감동을 주는 탁월한 작품을 명작이라고 합니다. 그중 시간과 공간을 초월하여 변함없이 사랑받아온 작품을 고전이라고 하지요.

우리는 어릴 때부터 고전과 명작 읽기의 중요성에 대해 배워왔습니다. 고전 명작이 소중한 이유는 그 안에 인간과 사회에 대한 작가의 치열한 상념이 녹아 있기 때문입니다. 탄탄한 서사 구조 속에 재미와 감동은 물론, 시대를 대변하는 보편적인 가치가 반영되어 있기 때문입니다.

따라서 고전 명작을 읽을 때에는 작품 속 주제 의식이나 작가의 세계관을 올바로 이해하려는 노력이 필요합니다. 작가가 작품을 쓰던 당시의 사회적 배경이 어떠하였는지, 또 작품에서 가장 중요하게 다루고 있는 논쟁거리가 무엇인지에 대해 깊이 고민해야 합니다. 주제, 줄거리 등을 단편적으로 암기하는 것이 아니라 작가와 교감을 통해 인간과 사회에 대한 이해를 넓혀 가는 것입니다. 이런 노력이 뒷받침되어야 우리는 비로소 고전 명작을 읽었다라고 이야기할 수 있습니다.

〈아이세움 논술 | 명작〉은 고전 명작이 어른들의 전유물이라는 편견을 버리고, 재미있는 삽화와 쉬운 문장으로 구성하였습니다. 그리고 작품을 읽기 전에 작품을 둘러싼 시대적 배경을 알려 주고 읽은 후에는 작품에 대해서 토론하면서 생각할 수 있도록 구성되어 있습니다. 어린 독자들이 고전에 친숙해질 수 있는 기회를 주는 책이라고 생각합니다.

어린 시절에 읽는 양서 한 권이 어린이의 미래를 바꿉니다. 부디 〈아이세움 논술 | 명작〉으로 세계를 바라보는 안목을 높이고 자기만의 세계를 공고히 다져 나가기 바랍니다.

서울대학교 국어국문학과 교수

방민호

명작 읽기의 소중함

열심히 책만 읽기에는 너무 고단한 우리 학생들에게 다시 '논술' 열풍이 불고 있다. 학생들이 스스로 즐겨 그렇게 된 것은 아니지만, 학생들을 위해 결코 나쁜 일이라고만 말할 수는 없을 것이다.

새삼스러운 얘기일 터이지만 좋은 글을 쓸 수 있는 가장 빠른 길은 "많이 읽고(다독多讀)·많이 쓰고(다작多作)·많이 생각(다상량多商量)"하는 삼다(三多)밖에 다른 것이 없다.

먼저 다독이 문제다. 많이 읽는다고 해서 아무 책이나 마구잡이로 읽는 것을 다독이라고 하지는 않는다. 많이 읽되, 좋은 책을 읽을 때 그것이 다독이다. 그렇다면 어떤 책이 좋은 책일까?

우선 고전이라 할 명작에는 사람이 세상을 살면서 알아야 할 온갖 삶의 지혜와 가치가 담겨 있다. 가령 〈지킬 박사와 하이드〉에서는 인간 내면에 혼재해 있는 선과 악의 대립을, 〈동물농장〉

에서는 삶을 한없이 타락시키는 전체주의와 아름다운 삶을 지향하는 인간의 무한한 이상의 끊임없는 갈등과 투쟁에 대한 반추를 해 볼 수 있다. 이런 고전을 재미있게 읽고 생각하는 기회를 갖는 것이 바로 좋은 글을 쓸 수 있는 바탕이다. 문제는 고전이 너무 어렵고 분량이 방대하다는 점이다.

이번에 출간된 〈아이세움 논술 | 명작〉은 원전의 내용을 재구성해 어린 학생들이 쉽게 고전과 친해지도록 만들었다. 지루함을 덜기 위해 캐릭터를 사용해서 그 캐릭터들과 끊임없이 교감하며 끝까지 책을 손에서 놓지 못하게 만든 것도 이 시리즈의 특색이요 장점일 터이다. 책 뒤에 논술을 학습할 수 있도록 논술 워크북과 가이드북을 제공하여 '학습과 논술' 이라는 두 문제를 다 해결할 수 있도록 배려한 점도 주목할 만하다. 어린 학생들이 편안하고 소중한 독서 경험을 하리라 본다.

물론 이 명작선은 완역본이 아니므로 이것만 읽어서는 해당 작품을 제대로 읽었다고 말할 수 없을 것이다. 그러나 훗날 학생들이 성장하여 완역본으로 다시 읽고 올바르게 이해하는 데 큰 도움이 되도록 세심한 배려를 했다.

이 점도 이 시리즈가 귀하고 값진 이유이다.

시인

신경림

| 차 례 |

안녕, 난 뒤뚱이.
흥미롭고 긴장감 넘치는
<몬테크리스토 백작>을
읽어 볼까?

난 번빠리.
몬테크리스토 백작의
정체가 무엇인지 정말
궁금해.

PART 1 명작 살펴보기

PART 2 명작 읽기

PART 3 깊어지는 논술

PART 4 논술 워크북

PART 1

명작 살펴보기

흥미진진한 모험과
숨 막히는 반전이 있는 이야기래.
어떤 이야기인지 먼저 살펴볼까?

명작 살펴보기

만화로 미리 보기

무서운 음모들을 밝혀라

일등 항해사 에드몽 당테스가 억울한 누명을 쓰고 악명 높은 이프 성의 지하 감옥에 갇혔어요. 그 사실을 안 번빠리와 뒤뚱이가 당테스를 구하러 출동했답니다. 과연 뒤뚱이와 번빠리가 임무를 잘 수행할 수 있을까요?

드디어 모든 음모를 알게 된 당테스는 복수를 다짐하며
이프 성을 탈출했어요. 몬테크리스토 백작으로 신분을 위장한
당테스는 자신을 불행에 빠뜨린 사람들을 하나하나 찾아갑니다.
과연 당테스는 복수를 할 수 있을까요?

어떤 이야기인가요?

억울한 누명으로 미래를 빼앗긴 당테스

프랑스 마르세유 출신의 젊은 선원 에드몽 당테스는 선주인 모렐 씨에게 인정을 받아 배의 선장이 되었고, 곧 아름다운 약혼녀와 결혼까지 할 예정이었어요. 그런데 당테스의 행복을 시기하는 무리의 음모로 그만 살아서는 돌아오지 못하는 이프 성의 캄캄한 지하 감옥에 갇히고 말았지요. 가장 행복한 순간에 가장 불행한 곳으로 떨어진 거예요.

자신이 무슨 죄로 감옥에 갇히게 된 것인지 이유도 모른 데다, 늙으신 아버지와 약혼녀에 대한 걱정으로 당테스는 답답해 미칠 지경이었어요. 하지만 그 누구도 당테스에게 구원의 손길을 펼치지 않았고, 그로 인해 당테스는 큰 절망에 빠졌지요.

복수, 그리고 새로운 미래

당테스는 14년 동안이나 감옥에 갇혀 지냈어요. 그동안 당테스의 아버지가 아들을 잃은 뒤 굶어 죽었고, 사랑하는 약혼녀도 다른 사람의 아내가 되어 버렸지요. 당테스는 감옥에서 만난 파리아 신부에게 신학과 철학, 과학 등 방대한 지식을 배우고, 진귀한 보물이 숨겨져 있는 몬테크리스토 섬에 대한 이야기도 듣게 되었어요. 드디어 14년 만에 당테스는 누구도 상상하지 못한 기막힌 방법으로 지하 감옥을 탈출했어요. 그리고 자신에게 억울한 누명을 씌운 사람들을 찾아가 통쾌한 복수를 시작했답니다.

<몬테크리스토 백작>은
실제로 당테스처럼 억울한
누명을 쓰고 감옥에 갇힌
피코라는 영국 청년의 이야기를
소재로 해서 쓴 거야.

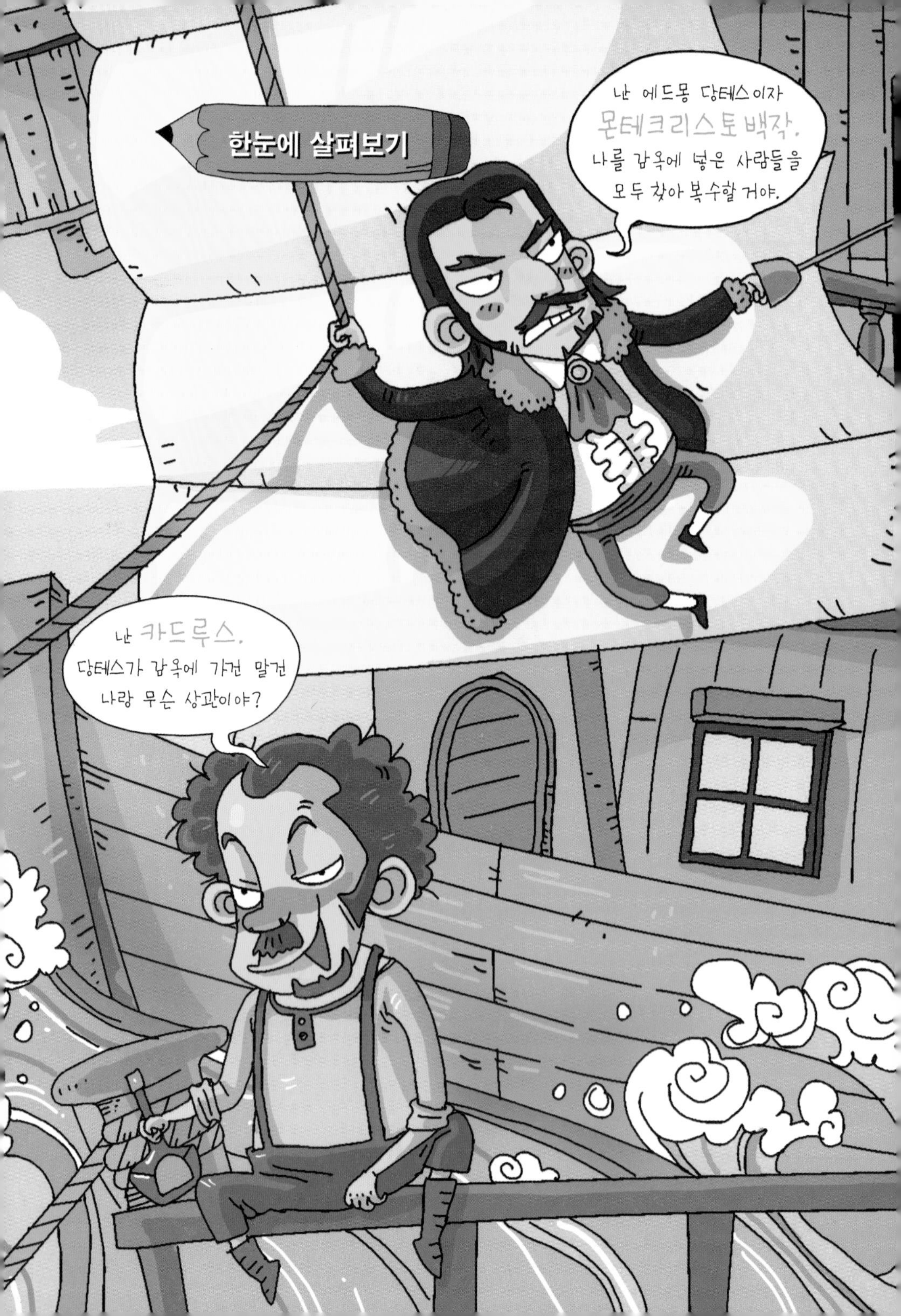
한눈에 살펴보기
난 에드몽 당테스이자
몬테크리스토 백작.
나를 감옥에 넣은 사람들을
모두 찾아 복수할 거야.
난 카드루스.
당테스가 감옥에 가건 말건
나랑 무슨 상관이야?

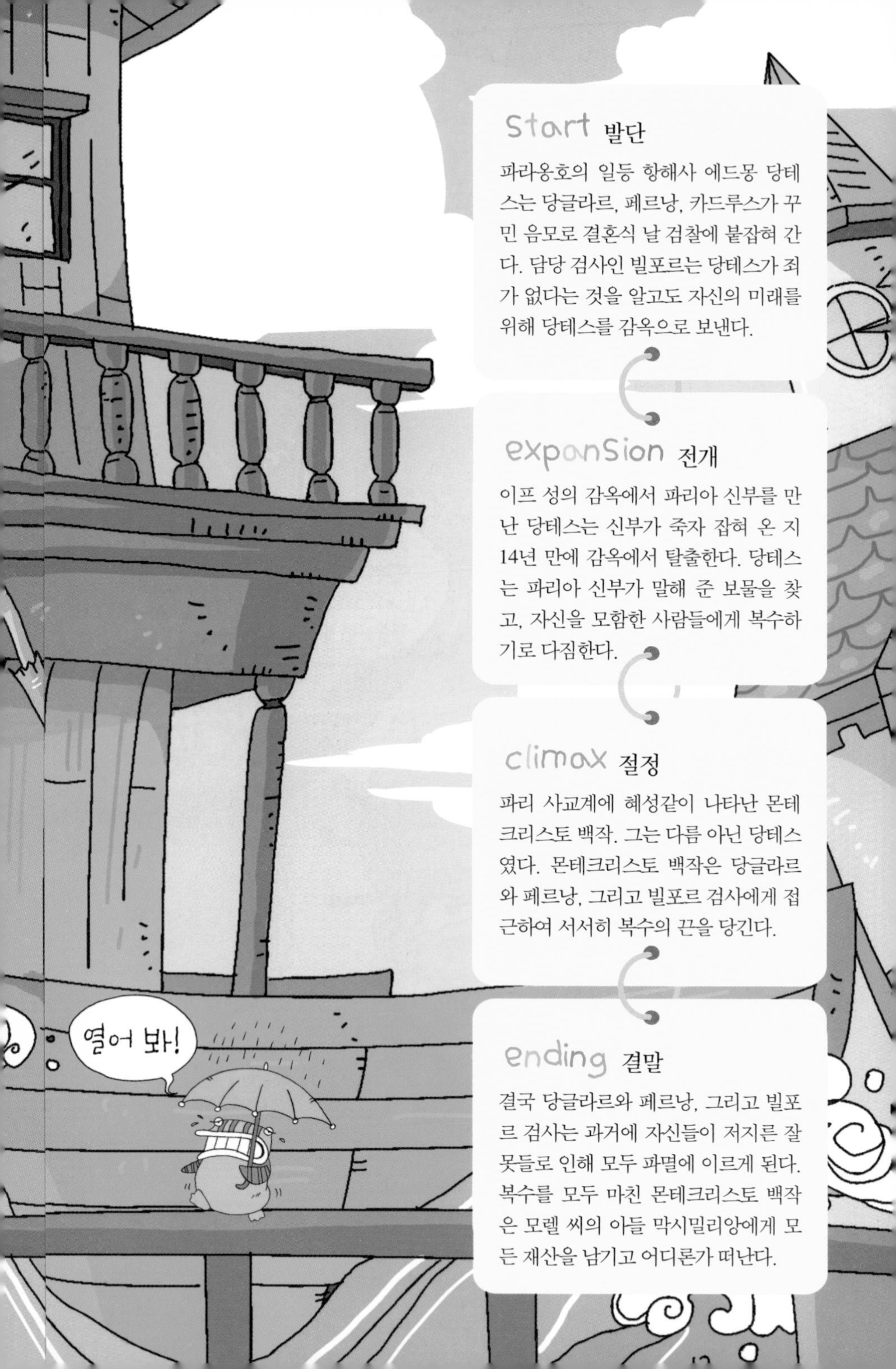

Start 발단

파라옹호의 일등 항해사 에드몽 당테스는 당글라르, 페르낭, 카드루스가 꾸민 음모로 결혼식 날 검찰에 붙잡혀 간다. 담당 검사인 빌포르는 당테스가 죄가 없다는 것을 알고도 자신의 미래를 위해 당테스를 감옥으로 보낸다.

expansion 전개

이프 성의 감옥에서 파리아 신부를 만난 당테스는 신부가 죽자 잡혀 온 지 14년 만에 감옥에서 탈출한다. 당테스는 파리아 신부가 말해 준 보물을 찾고, 자신을 모함한 사람들에게 복수하기로 다짐한다.

climax 절정

파리 사교계에 혜성같이 나타난 몬테크리스토 백작. 그는 다름 아닌 당테스였다. 몬테크리스토 백작은 당글라르와 페르낭, 그리고 빌포르 검사에게 접근하여 서서히 복수의 끈을 당긴다.

ending 결말

결국 당글라르와 페르낭, 그리고 빌포르 검사는 과거에 자신들이 저지른 잘못들로 인해 모두 파멸에 이르게 된다. 복수를 모두 마친 몬테크리스토 백작은 모렐 씨의 아들 막시밀리앙에게 모든 재산을 남기고 어디론가 떠난다.

이렇게 읽어 보세요!

우리는 알고 등장인물들은 모른다

이 작품의 재미있는 특징 중 하나는 주인공이나 등장인물들이 모르고 있는 음모나 비밀들을 독자들은 다 알고 있다는 거예요. 처음 당테스는 자신이 왜 감옥에 갇히게 되었는지 알지 못하지만 독자들은 모두 알고 있기에 그것을 당테스에게 알려 주고 싶은 충동을 느끼지요. 또한 나중에 당테스가 몬테크리스토 백작이 되고 난 뒤에 당글라르나 빌포르, 페르낭, 카드루스 등은 그의 정체를 알지 못하고 자신들을 향한 복수의 화살도 전혀 눈치채지 못해요. 그 때문에 독자들은 악인들의 허둥대는 모습에 더 통쾌함을 느끼게 됩니다. 다시 말해서 독자에게 모든 것을 알려 준 채 사건을 진행하여 더 큰 긴장감을 불러일으키는 것이지요.

▲ 〈몬테크리스토 백작〉의 실제 배경이 된 이프 성과 지하 감옥의 모습이에요.

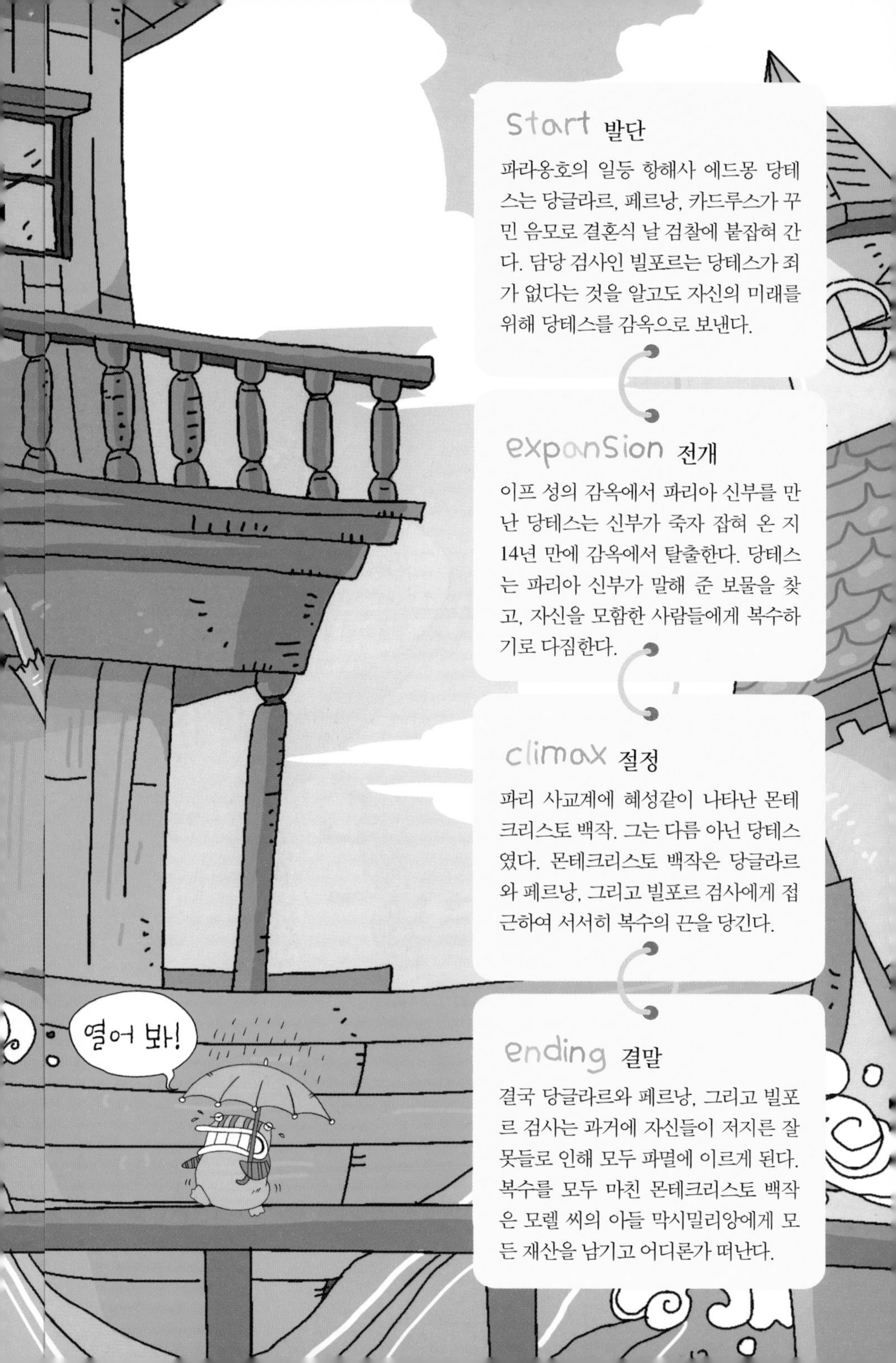

Start 발단

파라옹호의 일등 항해사 에드몽 당테스는 당글라르, 페르낭, 카드루스가 꾸민 음모로 결혼식 날 검찰에 붙잡혀 간다. 담당 검사인 빌포르는 당테스가 죄가 없다는 것을 알고도 자신의 미래를 위해 당테스를 감옥으로 보낸다.

expansion 전개

이프 성의 감옥에서 파리아 신부를 만난 당테스는 신부가 죽자 잡혀 온 지 14년 만에 감옥에서 탈출한다. 당테스는 파리아 신부가 말해 준 보물을 찾고, 자신을 모함한 사람들에게 복수하기로 다짐한다.

climax 절정

파리 사교계에 혜성같이 나타난 몬테크리스토 백작. 그는 다름 아닌 당테스였다. 몬테크리스토 백작은 당글라르와 페르낭, 그리고 빌포르 검사에게 접근하여 서서히 복수의 끈을 당긴다.

ending 결말

결국 당글라르와 페르낭, 그리고 빌포르 검사는 과거에 자신들이 저지른 잘못들로 인해 모두 파멸에 이르게 된다. 복수를 모두 마친 몬테크리스토 백작은 모렐 씨의 아들 막시밀리앙에게 모든 재산을 남기고 어디론가 떠난다.

이렇게 읽어 보세요!

우리는 알고 등장인물들은 모른다

이 작품의 재미있는 특징 중 하나는 주인공이나 등장인물들이 모르고 있는 음모나 비밀들을 독자들은 다 알고 있다는 거예요. 처음 당테스는 자신이 왜 감옥에 갇히게 되었는지 알지 못하지만 독자들은 모두 알고 있기에 그것을 당테스에게 알려 주고 싶은 충동을 느끼지요. 또한 나중에 당테스가 몬테크리스토 백작이 되고 난 뒤에 당글라르나 빌포르, 페르낭, 카드루스 등은 그의 정체를 알지 못하고 자신들을 향한 복수의 화살도 전혀 눈치채지 못해요. 그 때문에 독자들은 악인들의 허둥대는 모습에 더 통쾌함을 느끼게 됩니다. 다시 말해서 독자에게 모든 것을 알려 준 채 사건을 진행하여 더 큰 긴장감을 불러일으키는 것이지요.

▲ 〈몬테크리스토 백작〉의 실제 배경이 된 이프 성과 지하 감옥의 모습이에요.

기다려라! 그리고 희망을 가져라!

〈몬테크리스토 백작〉에
이렇게 깊이 있는
메시지가 있는 줄
미처 몰랐어.

작품의 주인공인 당테스를 비롯한 많은 등장인물은 감당할 수 없는 어려움이 닥치면 자살을 생각했어요. 당테스도 감옥에 갇히자 굶어 죽기로 결심하고, 모렐 씨도 회사가 망하자 죽음을 결심했어요. 모렐 씨의 아들 막시밀리앙도 사랑하던 여인이 죽었다는 생각에 자살하려고 했지요. 하지만 뒤마는 몬테크리스토 백작의 마지막 편지를 통해 절망에 빠진 사람들에게 희망을 주고자 했어요.

'기다려라! 그리고 희망을 가져라!'

당장은 힘들고 앞이 깜깜해 보여도 희망을 버리지 않고 기다린다면 언젠가는 기쁨의 날이 온다는 것을 에드몽 당테스의 삶을 통해 말해 준 것이지요.

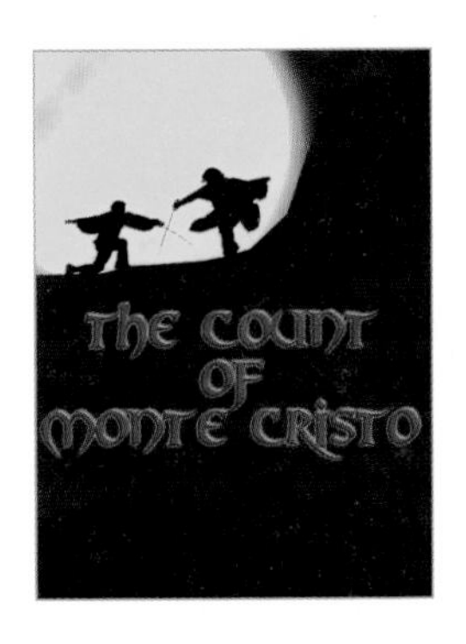

◀ 〈몬테크리스토 백작〉은 미국과 프랑스에서 영화로도 여러 차례 만들어질 만큼 인기가 많았어요.

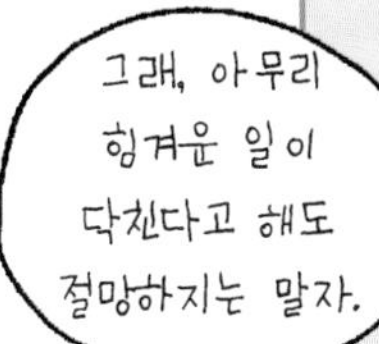

그래, 아무리
힘겨운 일이
닥친다고 해도
절망하지는 말자.

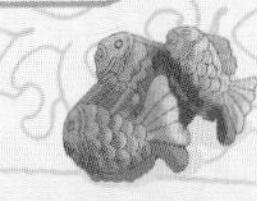

잠시 휴식! 붕어빵을 먹고 〈몬테크리스토 백작〉을 읽어 보세요!

PART 2

명작 읽기

일등 항해사 에드몽 당테스의
통쾌한 복수극이라고?
정말 재미있겠는걸.

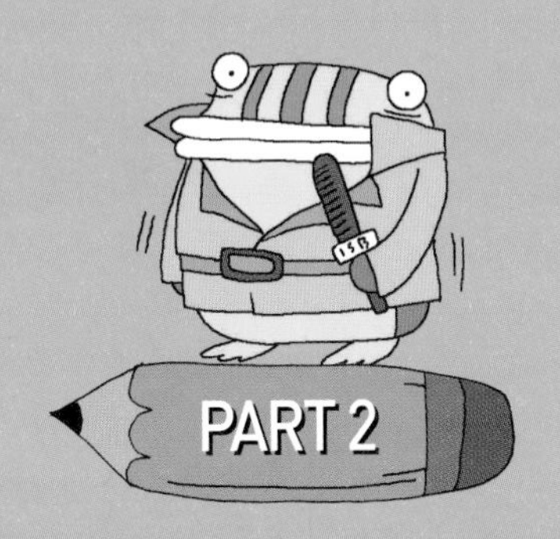

명작 읽기

1장
파라옹호의 일등 항해사

1815년 2월 24일 프랑스 마르세유 항으로 커다란 배 한 척이 들어왔다.

"파라옹호가 돌아왔다!"

파라옹호의 선주 모렐 씨는 석 달간의 오랜 항해를 마치고 돌아온 파라옹호를 맞기 위해 직접 보트를 타고 마중을 나갔다. 모렐 씨는 파라옹호 옆으로 보트를 최대한 가까이 댄 뒤 파라옹호로 옮겨 탔다.

파라옹호의 선원들은 항구에 배를 정박하기 위해 바쁘게 움직이고 있었다. 선원들을 지휘하는 사람은 이제 갓 스무 살쯤 되어 보이는 잘생긴 젊은이였다. 모렐 씨는 그

젊은이에게 다가가 반갑게 인사했다.

"에드몽 당테스, 잘 다녀왔네. 그런데 배 분위기가 왠지 침울해 보이는데, 무슨 일이 있었는가?"

"모렐 선주님, 매우 불행不幸한 일이 있었습니다. 이번 항해 도중 르클레르 선장님이 뇌막염에 걸려 돌아가셨습니다."

뇌막염 이란
뇌와 척수를 둘러싼 막에
생긴 염증이야. 열이 나고,
심하면 목숨을 잃기도 해.

당테스의 말에 모렐 씨는 깜짝 놀랐다.

"뭐라고? 그 용감하던 분이 어쩌다……."

"그래도 바다에서 선장님의 장례를 치른 후 짐을 잘 챙겨서 싣고 왔습니다. 아, 저기 마침 회계사 당글라르 씨가 오고 있으니 자세한 얘기는 당글라르 씨에게 물어보세요. 저는 선원들을 감독해야 하니 이만 가 보겠습니다."

당테스의 말에 모렐 씨는 고개를 끄덕이며 선실에서 나오는 당글라르를 돌아보았다. 당글라르는 스물 대여섯 살

불행(不幸) : 행복하지 아니한 일. 또는 그런 운수.

난 잘난 척하는
당테스가 정말 싫어.
선주한테 혼 좀 나
봐라.
도대체 배가
고장 난 것도 아닌데
엘바 섬에는
왜 정박한 건가?
아, 그건 선장님의
유언 때문이었어요.

쯤 되어 보이는 남자로, 윗사람에게는 아부하고 아랫사람에게는 몹시 거만倨慢하게 구는 사람이었다.

"선주님, 이번 일 들으셨습니까?"

"그래, 당테스에게 들었네. 참 안된 일이야. 하지만 당테스 같은 유능한 일등 항해사가 있어서 다행이지."

모렐 씨의 말에 당글라르의 얼굴이 일그러졌다.

"물론 당테스는 유능하지요. 하지만 선주님, 저 친구는 선장이 죽자마자 제멋대로 배를 지휘하더니 돌아오는 길에는 엘바 섬에 들러 하루 반이나 머물렀답니다."

당글라르의 말에 모렐 씨는 고개를 갸웃했다.

"배가 고장 난 것도 아닌데 엘바 섬에서 시간을 낭비했다는 건 좀 이상하군. 여보게, 당테스! 이리로 와 보게."

모렐 씨가 부르자 당테스는 곧바로 달려왔다.

"모렐 선주님, 부르셨습니까?"

"그래. 도대체 엘바 섬에는 왜 정박한 건가?"

거만(倨慢) : 잘난 체하며 남을 업신여김.

모렐 씨의 질문에 당테스는 조금도 거리끼지 않고 당당하게 대답했다.

"그건 선장님의 유언遺言 때문입니다. 선장님이 죽기 전에 제게 소포를 주면서 엘바 섬에 있는 베르트랑 대원수께 전해 주라고 했거든요."

엘바 섬은 이탈리아 반도와 코르시카 섬 사이에 있는 섬이야. 나폴레옹 1세의 유배지로 유명하지.

당테스의 대답에 모렐 씨는 깜짝 놀라 주위를 살피더니 당테스를 아무도 없는 곳으로 데리고 갔다.

"그럼, 나폴레옹 폐하도 만났나?"

"네, 만났습니다."

"어떻게 지내시던가? 잘 계시던가?"

"네, 건강할 뿐 아니라 여러 가지를 물어보시더군요."

모렐 씨는 당테스가 나폴레옹을 만나서 직접 이야기를 나누었다는 말에 무척 들뜬 표정을 지었다. 그리고 당테

유언(遺言) : 죽음에 이르러 말을 남김.

스의 어깨를 기분 좋게 두드리며 말했다.

"자네가 엘바 섬에 들른 건 매우 잘한 일일세. 다만 대원수께 소포를 전하고 폐하와 만나 이야기한 것을 사람들이 알면 좋지 않은 일이 생길 수도 있으니 조심하게나."

모렐 씨의 걱정에 당테스가 활짝 웃으며 말했다.

"좋지 않은 일이 생기다니요? 저는 그저 심부름만 했는걸요. 아무 잘못도 하지 않았으니 괜찮을 겁니다."

사실 모렐 씨가 그렇게 말한 데는 다 이유가 있었다. 당시 프랑스는 나폴레옹이 황제 자리에서 쫓겨나 엘바 섬에 유배流配되어 있었다. 나폴레옹이 쫓겨난 뒤 루이 18세가 국왕이 되었지만 국민들 중에는 여전히 나폴레옹을 그리워하는 사람들이 많았다.

나폴레옹을 열렬히 따르던 사람들은 나폴레옹을 유배지에서 데려와 다시 황제로 복귀시키기 위해 애를 썼다. 그리고 루이 18세는 군대와 경찰을 동원하여 나폴레옹을

유배(流配) : 형벌 가운데 하나로, 죄인을 먼 시골이나 섬으로 귀양 보내던 일.

따르는 보나파르트 당원을 잡아들이기 위해 눈에 불을 켜고 있었다.

그 사이 배는 항구에 무사히 정박했고, 잠시 후 당테스가 모렐 씨에게 다가와 일을 끝마쳤다고 보고報告했다.

"고생했네. 같이 저녁이라도 하겠나?"

"죄송합니다, 선주님. 집에서 아버지가 기다리고 있어서 오늘은 안 될 것 같습니다. 그리고 한 군데 더 가 볼 곳이 있거든요."

모렐 씨의 말에 당테스는 고개를 숙이며 대답했다.

"아, 그렇지. 자네는 참 효자야. 게다가 자네의 약혼녀 메르세데스도 애타게 기다리고 있겠지? 어서 가 보게. 그리고 석 달 동안 휴가를 줄 테니 석 달 뒤에 돌아오게. 파라옹호가 선장 없이 출항할 수는 없으니 말일세."

모렐 씨가 한 뜻밖의 말을 듣고 당테스는 기쁨으로 눈

보고(報告) : 일에 관한 내용이나 결과를 말이나 글로 알림.

을 반짝이며 외쳤다.

"지금 그 말씀은…… 그러니까 저를 파라옹호의 선장으로 임명하신다는 말씀인가요?"

모렐 씨는 넉넉한 미소를 지으며 말했다.

"그렇다네. 정직한 사람은 하느님이 돕는 법이지. 그러니 이제 얼른 자네 아버지와 메르세데스에게 가 보게."

당테스는 감격에 겨워 모렐 씨의 손을 덥석 잡았다.

"아, 모렐 선주님! 제 아버지와 메르세데스의 이름으로 감사드립니다."

당테스는 꾸벅 인사를 하고 배에서 내리더니 집을 향해 바람처럼 달려갔다. 모렐 씨는 흐뭇한 눈으로 당테스의 뒷모습을 한참 동안 바라보고 서 있었다. 그때 모렐 씨의 등 뒤에서 질투 섞인 눈으로 당테스를 쏘아보는 사람이 있었다. 바로 회계사 당글라르였다.

노아유 거리로 접어든 당테스는 곧장 아버지가 기다리는 멜랑 가로수길 왼쪽에 있는 작은 집으로 들어갔다. 그리고 5층까지 어두운 층계를 한 번도 쉬지 않고 뛰어 올

아버지!
제가 돌아왔어요.
그동안 제 걱정 많았죠?
오, 에드몽!
돌아왔구나. 지난 석 달
동안 내가 얼마나
걱정했는 줄 아니?

라가서는 문을 벌컥 열었다.

"아버지! 아버지!"

방 안에 우두커니 앉아 있던 노인은 당테스의 목소리에 몹시 반가운 표정을 지으며 일어섰다. 그리고 당테스를 향해 두 팔을 벌리며 다가왔다.

"오, 내 아들 에드몽! 이렇게 널 다시 보게 되니 이제야 마음이 놓이는구나. 하느님께 감사할 따름이다."

당테스는 비쩍 말라 기력이 없는 아버지를 두 팔로 덥석 안으며 말했다.

"아버지, 제가 기쁜 소식을 가지고 왔어요. 이번 항해에서 르클레르 선장님이 돌아가셨는데 그 뒤를 이어 제가 파라옹호의 선장이 되었어요. 조금 전에 모렐 선주님이 그렇게 말했어요."

"에드몽, 네가 파라옹호의 선장이 된다는 말이냐?"

"네, 앞으로는 모든 것이 잘될 거예요."

그때 계단에서 발소리가 나더니 문을 열고 한 남자가 들어왔다. 바로 이웃에 사는 카드루스라는 재봉사였다.

"에드몽, 자네 돌아왔군. 오다가 항구에서 당글라르를 만났다네. 자네가 파라옹호의 선장이 될 거라고 하던걸? 모렐 씨에게 아부라도 한 건가? 그러면서 모렐 씨의 저녁 식사 초대는 왜 거절했나? 선장이 되려면 선주에게 잘 보여야 할 텐데……."

"카드루스 씨, 모렐 씨가 저를 선장으로 임명한 건 제가 그동안 성실히 일했기 때문이에요. 그렇게 아부를 하면서까지 선장이 될 마음은 조금도 없어요."

당테스는 카드루스의 말에 기분이 상해 무뚝뚝하게 대답한 뒤, 다시 아버지를 돌아보며 말했다.

"아버지, 잠깐 카탈루냐에 다녀올게요."

"메르세데스를 만나러 가는구나. 메르세데스는 정말 좋은 아내가 될 거야."

"그렇지 않아도 이번에 청혼請婚을 할 생각이에요."

당테스는 들뜬 목소리로 말하고는 서둘러 집 밖으로 달

청혼(請婚) : 결혼하기로 청함.

려 나갔다. 당테스가 카탈루냐로 떠나고 난 뒤 카드루스는 당테스의 집을 나와 당글라르를 만나러 갔다. 당글라르는 길모퉁이에서 카드루스를 기다리고 있다가 카드루스가 다가오자 대뜸 물었다.

"그래, 당테스를 만나 봤나?"

"쳇! 정말 건방진 녀석이란 말이야. 벌써부터 선장이 된 것같이 굴지 뭔가? 게다가 카탈루냐에 사는 메르세데스와 결혼을 하겠대."

카드루스의 말에 당글라르가 눈빛을 빛내며 말했다.

"그래? 메르세데스라면 요즘 페르낭이 열심히 쫓아다니고 있잖나? 그렇다면 우리도 카탈루냐로 가서 술이나 한잔 할까? 결투라도 벌어질지 누가 아나? 술은 내가 사겠네."

술을 좋아하는 카드루스는 당글라르가 술을 산다는 말에 눈이 번쩍 뜨였다. 둘은 곧장 당테스의 뒤를 쫓아 카탈루냐 마을로 갔다.

카탈루냐는 에스파냐
동북부에 있는 지방이야.
마르세유와도 매우
가깝단다.

카탈루냐 마을의 한 작은 집에서는 열일곱 살의 젊고 아름다운 메르세데스가 한 젊은이와 이야기를 나누고 있었다. 젊은이는 메르세데스의 사촌 오빠인 페르낭이었다.

"메르세데스, 왜 내 마음을 몰라주는 거지?"

"페르낭 오빠, 난 오빠를 친척으로서 좋아하는 것뿐이에요. 내가 사랑하는 사람은 에드몽 당테스예요."

"하지만 당테스는 바다에 나가서 소식이 없잖아. 그 사람이 죽었거나 널 잊었으면 어떻게 할 거야?"

"만약 그렇다면 저도 죽고 말 거예요."

그때 밖에서 기쁨에 찬 당테스의 목소리가 들려왔다.

"메르세데스!"

메르세데스는 자리에서 벌떡 일어나며 소리쳤다.

"어머! 당테스가 왔어요."

당테스는 집 안으로 들어와 메르세데스를 힘껏 껴안았다. 행복에 겨운 나머지 곁에 페르낭이 얼굴을 일그러뜨린 채 쳐다보고 있다는 것도 몰랐다.

"아 참! 에드몽, 인사하세요. 여기 이 사람은 내 사촌 오빠 페르낭이에요."

"이런, 계신 줄 모르고 제가 실례失禮를 했습니다."

당테스는 사과를 하며 페르낭에게 손을 내밀었다. 그러나 페르낭은 당테스의 손을 무시하고 밖으로 휙 나가 버렸다. 당테스는 페르낭이 메르세데스를 좋아하고 있고, 그로 인해 자신을 미워한다는 것을 단번에 알아차렸다.

집 밖으로 나온 페르낭은 화가 나 부들부들 떨며 머리를 쥐어뜯었다. 그때 누군가가 페르낭을 불렀다.

"어이, 페르낭! 무슨 안 좋은 일이라도 있나?"

페르낭은 고개를 돌려 자신을 부르는 사람을 쳐다봤다. '레제브르'라는 레스토랑 앞에 놓인 테이블에서 당글라르와 카드루스가 술을 마시고 있었다.

"여기 앉게. 자네, 애인을 다른 사람에게 빼앗겼나?"

실례(失禮) : 말이나 행동이 예의에 벗어남. 또는 그런 말이나 행동.

페르낭이 우울한 표정으로 빈자리에 털썩 주저앉자, 당글라르와 카드루스가 페르낭에게 술을 권했다.

"이 가여운 친구 보게. 하지만 당테스가 무사히 돌아와서 난처하게 된 것은 자네뿐만이 아닐세."

세 남자는 당테스에 대한 악의에 찬 말들을 쏟아 내며 술을 마셨다. 그때 저 멀리서 당테스와 메르세데스가 다정하게 손을 잡고 걸어오는 게 보였다. 술이 거나하게 취한 카드루스가 두 사람을 보고 소리쳤다.

"어이, 에드몽! 이제는 도도해져서 친구도 안 보이나?"

그 말에 당테스가 정중하게 인사하며 다가왔다.

"그럴 리가 있나요? 제가 행복에 겨워 모두들 여기 있는 걸 못 봤어요. 그나저나 축하해 주세요. 저와 메르세데스는 모레 이곳에서 결혼식을 올릴 거예요."

"모레라……. 너무 급한 것 아닌가?"

당글라르가 비꼬듯 묻자 당테스가 대답했다.

"실은 곧 파리에 다녀와야 할 일이 있어요."

"파리에? 무슨 일로 가는데?"

호호,
축하해 주세요!
메르세데스와 저는 모레 이곳에서 결혼식을 올릴 거예요.
뭐? 메르세데스와 결혼을 한다고?
쳇, 누군 좋겠군! 선장도 되고 결혼도 하고 말이야.
으, 당테스 저놈을 안 보고 살 수만 있다면 얼마나 좋을까?

"르클레르 선장님이 마지막으로 부탁한 일이 있어요."

그때 당글라르의 머릿속에 음흉한 생각이 떠올랐다.

'파리에 가서 대원수의 편지를 전해 주려는 거겠지? 그래, 좋은 생각이 있어. 당테스, 자네 인생도 끝이야.'

아무것도 모르는 당테스는 메르세데스와 함께 행복하게 웃으며 그 자리를 떠났다. 그러자 당글라르가 음흉한 눈빛을 반짝이며 말했다.

"페르낭, 메르세데스를 좋아하지? 만약 당테스를 감옥에 집어넣을 방법이 있다면 어떻게 하겠나?"

"뭐라고요? 어떤 방법으로?"

"당테스를 보나파르트 당이라고 고발하는 걸세."

당글라르는 마침 탁자 위에 놓인 펜을 들어 왼손으로 글씨체를 알아보기 어렵게 글을 쓰기 시작했다.

검사님!

나폴리에 갔다가 오늘 아침 돌아온 파라옹호의 일등 항해사 에드몽 당테스는 오는 길에 엘바 섬에 들러 나폴레옹에게 소포를 전달하고, 다시 파리의 보나파르트 당으로 보내는 밀서密書를 받아 왔습니다.

아무리 당테스가
미워도 그렇지, 당테스를
모함하여 감옥에 보내는
건 너무 파렴치해.

"자, 페르낭 자네는 이 편지를 잘 접어서 검사에게 보내기만 하면 돼. 이걸로 당테스는 감옥에서 푹 썩는 거지."

당글라르의 말에 술에 취해 엎드려 있던 카드루스가 고개를 들고 말했다.

"어? 자네들 방금 뭐라고 했나? 당테스를 감옥에 보낸다고? 아무리 그래도 그건 너무 파렴치한 짓이야."

"그냥 장난이네. 자네가 취해서 잘못 들은 거야."

당글라르는 시치미를 떼며 편지를 구겨서 한쪽 구석으로 던져 버렸다. 그러고는 카드루스를 부축해서 일어났다. 그 사이에 페르낭은 구석으로 가서 당글라르가 던진 편지를 주워 주머니에 집어넣었다.

밀서(密書) : 몰래 보내는 편지나 문서.

2장

함정에 빠진 당테스

이틀 뒤 날씨는 더할 나위 없이 좋았다. 이날은 레제브르 레스토랑 2층에서 당테스와 메르세데스의 결혼식이 있는 날이었다. 결혼식은 많은 사람들로 북적였다. 파라옹호의 선원들과 선주인 모렐 씨, 카드루스, 당글라르 그리고 페르낭의 모습도 보였다.

잠시 후 에드몽과 메르세데스가 나타나자 사람들은 박수를 치며 신랑 신부의 앞날을 축복했다. 이제 한 시간 뒤면 두 사람은 결혼 서약誓約을 하고 정식으로 부부가 될

서약(誓約) : 맹세하고 약속함.

예정이었다. 사람들은 둘의 앞날을 위해 다 함께 축배를 들었다.

그 순간 문밖에서 무거운 군화 소리가 들리더니 곧이어 경관 한 사람과 무장한 군인들이 문을 열고 들어왔다.

"여기에 에드몽 당테스가 있습니까?"

분위기는 순식간에 찬물을 끼얹은 듯 조용해졌다. 그러자 당테스가 앞으로 나서며 물었다.

"제가 당테스입니다만, 도대체 무슨 일입니까?"

"검찰의 이름으로 당신을 체포합니다!"

경관과 군인들은 다짜고짜 당테스를 체포해서 마차에 태웠다. 결혼식은 엉망이 되고 말았다. 하지만 당테스는 마차에 오르면서도 사람들을 안심시키며 말했다.

"걱정 마세요. 잘못한 일이 없으니 곧 나올 거예요."

마차가 마르세유 쪽으로 떠나기 시작하자 메르세데스는 뒤따라오며 소리쳤다.

가장 행복한 결혼식 날
영문도 모르고 체포를
당하다니 당테스가
정말 안 됐지 뭐야.

에드몽~!
아이고, 결혼식 날 신랑을 잡아가다니!
흑흑, 에드몽! 기다리고 있을게요. 빨리 돌아오세요.
메르세데스, 아버지를 잘 부탁해. 곧 다녀올 테니 걱정 마.
좋은 날에 자네도 정말 안됐군.
무슨 큰 죄라도 지은 게 아닐까?

"빨리 다녀오세요, 당테스! 기다릴게요!"

당테스는 마차 안에서 약혼녀의 애처로운 목소리를 들으며 가슴이 찢어지는 듯했다.

마르세유로 잡혀간 당테스는 빌포르라는 젊은 검사에게 심문을 받았다. 빌포르는 당테스에게 이것저것 물어보았다. 당테스는 아무런 거짓도 보태지 않고 솔직하게 대답했다. 빌포르는 당테스의 말이 모두 진실이며 그가 큰 죄를 저지를 만한 사람이 아니라는 것을 알 수 있었다.

"아무래도 자네에게 적이 있나 보군."

"적이라뇨? 저는 적을 만들 만한 일을 한 번도 한 적이 없습니다."

"적이 아니라면 자네를 시기猜忌하는 자가 꾸민 짓이겠지. 자, 여기 고소장이 있네. 이게 누구의 글씨인지 알아볼 수 있겠나?"

당테스는 검사가 건네준 고소장을 자세히 살펴보았다.

시기(猜忌) : 남이 잘되는 것을 샘하여 미워함.

그러나 처음 보는 글씨체였다.

"전혀 알아볼 수 없습니다. 이 편지에 써 있는 사건은 사실이지만 어디까지나 돌아가신 선장님의 유언을 충실히 지키기 위한 것뿐입니다."

당테스는 검사에게 향해 도중 선장의 죽음과 그 유언에 따라 엘바 섬에 들른 일 등을 숨김없이 말했다. 그리고 대원수에게 받은 편지를 검사에게 건네주었다. 당테스의 말을 다 듣고 나서 검사는 고개를 끄덕였다.

"알겠네. 자네의 이야기는 모두 사실인 것 같군. 척 봐도 자네에게는 죄가 없다는 것을 알겠네. 설사 엘바 섬에 들른 게 죄가 된다고 해도 선장의 명령命令을 지킨 것이니 자네의 잘못이 아닐세. 이제 친구들에게 돌아가도 좋네."

당테스는 매우 기뻐하며 돌아가려고 자리에서 일어섰다. 그때 검사가 한마디 덧붙였다.

"잠깐! 이 편지는 누구에게 가져다주기로 했었나?"

명령(命令) : 윗사람이 아랫사람에게 무엇을 하게 함.

당테스는 웃으며 거리낌 없이 대답했다.

“파리 코크에롱 가의 누아르티에 씨한테 가는 것입니다.”

그 말을 들은 빌포르 검사는 벼락을 맞은 듯한 기분이었다. 파리에 사는 누아르티에 씨라면 바로 빌포르 검사의 아버지였기 때문이다. 빌포르 검사는 자신의 아버지가 보나파르트 당이라는 것은 알았지만 이런 엄청난 사건을 계획하고 있는 줄은 몰랐다. 이 사실이 밝혀지면 아버지도 반역자로 몰리고, 자신의 인생도 끝장이었다.

파리는 프랑스의
수도이자 <몬테크리스토
백작>의 주요 배경이
되는 곳이야.

빌포르 검사는 온몸이 떨렸지만 침착한 표정을 유지하려 애쓰며 입을 열었다.

“혹시 이 편지를 누구에게 보여 준 적이 있나?”

“없습니다, 검사님.”

“다행이군. 자네를 이대로 돌려보낼 수는 없겠네. 하지만 곧 나가게 될 거야. 이 편지가 아무래도 문제를 일으킬

것 같아서 말이네. 하지만 이걸 보게."

빌포르 검사는 벽난로 쪽으로 가서 편지를 불 속에 던져 버렸다. 편지는 불에 타서 순식간에 재로 변했다.

"자, 간단해졌지 않나?"

"오, 검사님! 당신은 참으로 친절하신 분이군요."

"자네는 오늘 밤만 재판소 유치장에 잡혀 있다가 나가게 될 걸세. 다만 지금 이 편지에 대해서는 누구에게도 말해서는 안 된다는 걸 명심하게. 알겠나?"

"네, 약속하겠습니다."

빌포르 검사는 벽에 있는 초인종을 눌렀다. 그러자 경관이 방으로 들어왔다. 빌포르 검사는 경관의 귀에다 대고 무언가를 속삭였다. 경관을 따라 방을 나가며 당테스는 빌포르 검사를 향해 감사의 뜻으로 고개를 숙였다.

다음 날이면 풀려날 거라는 생각에 당테스는 재판소 유치장에 순순히 들어갔다. 그런데 그날 밤 10시쯤 횃불을 든 헌병 두 명이 유치장으로 들어왔다.

"에드몽 당테스, 따라오시오."

저 편지가
말썽을 가져올 수도
있으니 태워서 없애면
간단해지겠지?
아, 그렇군요.
검사님은 정말 친절한
분이에요. 검사님만
믿을게요.

헌병을 따라 문밖으로 나오자 마차 한 대가 기다리고 서 있었다.

'이제 풀려나는 걸까?'

당테스는 안심하며 마차에 올랐다. 마차는 밤길을 달려 곧 어두운 항구에 도착했다. 헌병들은 당테스를 마차에서 내리게 한 뒤 보트에 옮겨 태웠다. 당테스는 보트가 어디로 가고 있는 건지 도무지 짐작할 수가 없었다.

"도대체 나를 어디로 데리고 가는 겁니까?"

한참을 가다가 당테스는 아무래도 이상한 생각이 들어 헌병에게 물었다. 헌병은 고개를 갸웃거리며 말했다.

"당신은 마르세유 출신 선원이라면서 이 보트가 어디로 가는지 모른단 말이오? 저 앞을 보시오."

당테스는 헌병이 알려 주는 대로 보트가 가는 방향을 바라보았다. 200미터쯤 앞쪽에 시커먼 바위섬이 우뚝 서 있었다. 바위섬 위에는 음침하게 솟은 성이 불길不吉한 기

불길(不吉) : 운수 따위가 좋지 아니함. 또는 일이 예사롭지 않음.

운을 내뿜고 있었다. 300년 전부터 무거운 형을 받은 죄수들만 가두어 둔다는 무시무시한 이프 성 감옥이었다.

프랑스 마르세유에서
3킬로미터 정도 떨어진
이프 섬에 있는 이프 성은
실제로 많은 정치범이 갇힌
무시무시한 감옥이야.

"아니, 이프 성 아닙니까? 그럼 나를 이프 성에 집어넣으려고 데려간단 말입니까?"

"그렇소."

"조사도 제대로 하지 않은데다 재판 같은 절차도 없었는데 말이오?"

"우리는 명령대로 할 뿐이오."

헌병의 말에 당테스는 정신이 확 들었다. 그래서 날쌔게 바다로 뛰어들어 도망치려고 했지만 억센 헌병의 손에 붙잡혀 꼼짝없이 이프 성까지 끌려갈 수밖에 없었다.

잠시 후 보트는 이프 섬 기슭에 닿았다. 헌병들은 당테스를 강제로 끌다시피 하여 이프 성 안으로 들어갔다. 그렇게 해서 당테스는 이프 성의 어두컴컴한 지하 감옥에 영문도 모르고 갇히는 신세가 되고 말았다.

3장
파리아 신부

당테스가 지하 감옥에 갇힌 뒤 5년이라는 세월이 흘렀다. 당테스에게는 하루하루가 고통스럽고 지옥 같은 시간이었다. 아무 죄도 없이 감옥에 갇혀 있다고 생각하니 괴로워서 참을 수가 없었다. 분노를 터뜨리고 절망絶望하기를 반복하던 당테스는 결국 죽기로 결심했다.

그날부터 당테스는 간수가 가져다주는 음식을 집어던지고 굶기 시작했다. 하루, 이틀, 사흘……. 오랫동안 아무것도 먹지 않아 뼈가 앙상해진 당테스는 자신에게서 생

절망(絶望) : 바라볼 것이 없게 되어 모든 희망을 끊어 버림.

명의 빛이 점점 꺼져 가는 것을 느꼈다. 그러던 어느 날 벽에 힘겹게 몸을 기대고 있는데 벽 쪽에서 이상한 소리가 들려오기 시작했다.

'사각사각! 사각사각!'

규칙적으로 무언가를 긁는 소리였다. 당테스는 벽에 귀를 대고 자세히 들어 보았다.

'누군가가 탈옥하려고 벽에 구멍을 뚫고 있는 것일까?'

나도 당테스처럼
이유 없이 감옥에 갇힌다면
답답하고 억울해 미치고
말 거야.

당테스는 그 소리가 마치 하느님이 자신을 구하기 위해 보낸 생명줄 같았다. 얼마 후 간수가 음식을 가져다주었다. 당테스는 탈옥이라는 새로운 희망에 부풀어 간수가 가져다주는 음식을 정신없이 먹어 치웠다.

소리는 저녁까지 계속되었다.

'만일 저쪽 벽 너머의 사람이 탈옥하려는 죄수라면 내가 벽을 두드리는 소리에 깜짝 놀라 일을 멈출 것이다.'

당테스는 그 사실을 확인해 보기 위해 조심스럽게 벽을 세 번 두드렸다. 그러자 저쪽의 소리가 딱 멎었다.

'옳지, 죄수로구나.'

당테스는 말할 수 없이 기뻤다. 그래서 자신도 이쪽에서 굴을 파 가야겠다고 결심하고는 감방을 둘러보았다. 감방 한구석에 사기로 된 물 항아리가 보였다. 당테스는 항아리를 바닥에 던져 깨뜨리고는 그 조각으로 벽에 구멍을 파기 시작했다. 사기 조각이 다 닳은 뒤에는 양철 냄비의 손잡이를 뜯어 구멍을 팠다. 그렇게 1년이 지났다.

'내가 감옥에 들어온 지도 벌써 6년이군.'

당테스는 간수의 눈을 피해 부지런히 굴을 팠다. 그러던 어느 날 당테스가 파던 굴이 대들보에 가로막히고 말았다.

당테스는 절망絶望 섞인 목소리로 소리쳤다.

"오, 하느님! 저를 죽게 버려두지 않고 다시 희망을 가지게 하더니 왜 이런 절망을 주십니까!"

그때 바닥 쪽에서 희미한 목소리가 들려왔다.

절망(絶望) : 바라볼 것이 없게 되어 모든 희망을 끊어 버림. 또는 그런 상태.

누군가가 탈출하려고
굴을 파고 있는 게
틀림없어.

"하느님을 함부로 원망怨望하는 당신은 누구요?"

당테스는 머리카락이 삐죽 곤두서는 듯했다.

"저는 프랑스 선원 에드몽 당테스입니다. 1815년 2월 28일부터 이곳에 들어와 있었습니다. 당신은 누구죠?"

"나는 1811년부터 이곳에 들어와 있는 사람이오."

그 사람은 당테스보다 4년이나 더 오래 감옥에 갇혀 있었다. 바닥 쪽에서 다시 목소리가 들려왔다.

"당신 방은 어느 쪽으로 향해 있소?"

"복도 쪽입니다. 그 뒤에는 안뜰이 있지요."

당테스의 대답에 상대는 짧은 비명을 내질렀다.

"아뿔싸! 내 계산이 틀렸구먼. 바다 쪽으로 굴을 파고 있는 줄 알았거든. 바다까지만 나가면 헤엄을 쳐서 탈출하려고 했는데, 이제 다 틀렸소."

"잠깐만요! 그냥 가지 마세요! 저랑 탈출할 방법을 함께 연구해 보는 게 어떻습니까?"

원망(怨望) : 못마땅하게 여기어 탓하거나 불평을 품고 미워함.

저편에서는 잠시 고민을 하는 것 같았다. 그러더니 곧 이어 대답이 들려왔다.

"좋소. 내가 그쪽으로 가지. 자네는 몇 살인가?"

"날짜 세는 걸 잊어서 지금은 정확한 나이를 모르겠지만 1815년에 이곳으로 들어올 때는 열아홉 살이었습니다."

1815년 나폴레옹은
엘바 섬에서 탈출해 다시
황제가 되었지만 100일
만에 물러났단다.

"그럼 아직 스물여섯도 안 됐군. 내일쯤 간수가 없을 때 다시 올 테니 기다리시오."

목소리는 곧 사라졌다. 당테스는 자신이 더 이상 외톨이가 아니라는 생각만으로도 매우 기뻤다. 게다가 둘이 머리를 맞대면 탈옥할 방법을 찾을 수도 있을 거라는 생각으로 기대에 부풀었다.

다음 날 아침 벽을 두드리는 소리가 나더니 곧이어 목소리가 들렸다.

"간수는 갔소?"

"갔어요. 이제 저녁때까지 오지 않을 테니 열두 시간은 자유自由입니다."

그러자 당테스가 짚고 있던 땅바닥이 무너지는가 싶더니, 무너진 흙더미 사이로 작은 구멍이 생겼다. 그 구멍으로 사람 머리가 불쑥 올라왔다. 하얀 백발에다 체구가 작은 노인이었다. 그러나 눈만은 사람의 마음을 꿰뚫어 보는 듯 날카롭게 빛나고 있었다.

"나는 이탈리아 사람이고, 파리아 신부일세. 1811년부터 이곳에 갇혀 지냈지. 나는 이탈리아를 통일하기 위해 일했지만, 결국 왕관을 쓴 멍텅구리에게 배반을 당하는 바람에 이렇게 갇힌 신세가 되고 말았어."

"그렇다면 간수들이 미쳤다고 하는 27호 감방의 그 신부가 당신입니까?"

"허허, 그렇다네. 저들은 수백만 프랑이 넘는 보물을 갖고 있다는 내 말을 전혀 믿지 않더군."

"파리아 신부님, 이제 탈출은 어떻게 하실 건가요?"

자유(自由) : 무엇에 얽매이지 아니하고 자기 마음대로 할 수 있는 상태.

그럼 간수들이
미쳤다고 하는
27호 감방의 죄수가
바로 당신입니까?
나는 1811년부터
이곳에 들어와 있는
파리아 신부라네.

"탈출은 이제 틀렸어. 하느님의 뜻이 아니었나 봐."

"하지만 신부님의 방에서 다시 한 번 바다 쪽으로 굴을 팔 수도 있잖습니까?"

"그건 불가능해. 연장을 만들고 구멍을 파는 데만 꼬박 7년이 걸렸네. 7년을 또 매달리기에는 난 너무 늙었어."

"저와 힘을 합치면 시간이 단축될 수도 있잖아요."

"성급하게 생각하지 말게. 기다리다 보면 더 좋은 기회가 생길 걸세."

하지만 당테스는 고개를 흔들며 말했다.

"아무것도 하지 않고 기다리기만 하란 말입니까?"

"왜 아무것도 하지 않을 거라고 생각하지? 감옥에서도 할 일은 많네. 나는 이곳에서 책도 쓰고 공부도 하고 있네. 내 방을 보여 줄 테니 따라오게."

파리아 신부는 웃으며 말했다. 당테스는 파리아 신부의 뒤를 따라서 땅굴 속으로 들어갔다. 파리아 신부는 방에 도착하여 당테스에게 헝겊 두루마리로 된 책을 보여 주었다. 생선 뼈로 펜을 만들고, 난로의 그을음과 포도주로 잉

크를 만들어 쓴 책이었다. 당테스는 파리아 신부의 학식學識과 지혜에 감탄하여 입을 다물지 못했다. 그래서 지금껏 자신을 괴롭힌 의문을 신부에게 물어보기로 했다.

"신부님처럼 지혜로운 분이라면 제가 왜 이런 불행에 처했는지 설명해 주실 수 있겠군요."

당테스는 파리아 신부에게 감옥에 끌려오기까지 자신이 겪은 일들을 상세하게 들려주었다. 당테스의 이야기를 다 듣고 난 뒤 파리아 신부는 한참 동안 생각에 잠겨 있었다. 잠시 뒤 신부가 입을 열었다.

"옛말에 이런 말이 있네. '범인을 찾으려거든 우선 그 범죄로 이득을 볼 사람을 찾아라.' 혹시 자네가 감옥에 들어오면 이득을 볼 사람이 있나?"

"전혀 모르겠습니다. 설마 저 같은 사람 때문에 이익을 볼 사람이 있겠습니까?"

학식(學識) : 학문과 식견을 통틀어 이르는 말.

그러자 파리아 신부는 고개를 가로저었다.

"아닐세. 자네가 파라옹호의 선장이 될 참이었다고 했지? 그리고 예쁜 처녀와도 결혼을 하기로 했고. 혹시 자네가 선장이 되는 것을 싫어하는 사람이 있었나?"

당테스는 정신이 번쩍 들었다.

"아! 한 사람 있습니다. 당글라르라는 회계사인데, 제가 선장이 되는 것을 못마땅하게 생각했습니다. 그러고 보니 당글라르는 제가 선장님께 소포를 건네받는 것과 엘바 섬에서 편지를 받아 온 것도 보았겠군요."

회계사란 회사에서
나가고 들어오는 돈을
따져서 셈을 하는
사람이야.

"그렇다면 뻔하네. 고발장을 쓴 건 그 친구야."

"하지만 편지의 글씨체가 달랐는데요?"

"왼손으로 쓴 것이 틀림없네. 이렇게 말이야. 왼손으로 쓴 글씨체들은 다 비슷하지."

"이럴 수가! 맞습니다. 이런 글씨체였어요!"

당테스는 파리아 신부가 직접 왼손으로 써 보이는 글씨체를 보고 깜짝 놀랐다.

"자네가 메르세데스와 결혼하는 걸 싫어하는 사람은 없었나?"

"있었어요. 그녀의 사촌인 페르낭이라는 자가 그녀를 좋아하고 있었죠. 생각해 보니 약혼식 전에 당글라르와 페르낭, 그리고 재봉사 카드루스가 모여 앉아 있는 것을 보았습니다. 아! 이런 나쁜 놈들 같으니라고!"

흥분하여 감방 안을 왔다 갔다 하던 당테스가 파리아 신부에게 다시 물었다.

"그렇다면 제가 어째서 재판도 없이 감옥에 갇히게 되었는지 추측할 수 있겠습니까?"

"자네를 심문하던 사람이 누구였나?"

"빌포르라는 젊은 검사였습니다. 매우 친절한 사람이었지요. 증거물인 편지를 없애 주기까지 했는걸요."

"검사가 증거물을 없앴다고? 그건 이상한걸. 분명히 그 편지가 없어짐으로 검사에게 이익이 되는 것이 있었을 거야. 누구에게 가는 편지였지?"

"파리 코크에롱 가 13번지에 사는 누아르티에 씨였습

니다. 검사는 이 말을 아무에게도 하지 말라고 했어요."

"누아르티에? 그 사람은 나폴레옹을 열렬히 지지하는 사람이었지. 내겐 모든 것이 햇빛처럼 선명하게 보이네. 자네는 그 검사에게 완전히 이용당한 거야. 누아르티에가 누군지 아나? 바로 그 검사의 아버지란 말일세."

믿었던 사람들에 대한 배신으로 당테스가 얼마나 괴로웠을지 생각해 봐.

그제야 모든 음모를 알게 된 당테스는 머리가 어지러운 듯 비틀거렸다.

"이럴 수가!"

방으로 돌아온 당테스는 침대에 털썩 몸을 던졌다. 그리고 한참 뒤 자신을 그렇게 만든 사람들에게 반드시 복수復讐를 하겠다는 굳은 결심을 했다. 저녁이 되자 파리아 신부가 당테스의 방으로 찾아왔다.

"내가 괜히 자네 마음에 복수심을 심어 준 건 아닌가?"

복수(復讐) : 원수를 갚음.

당테스는 차분하게 미소를 지으며 말했다.

"아닙니다. 신부님처럼 지혜로운 분을 만나서 정말 다행입니다. 제게도 지식을 가르쳐 주시지 않겠습니까?"

"허허, 시간이야 남아도니 얼마든지 가르쳐 주지. 수학, 물리학, 역사 그리고 외국어 몇 가지 배우는 데 2년 정도면 충분할 거야. 하지만 그건 그저 지식일 뿐이야. 그것을 응용해 진정한 철학을 얻는 일은 자네에게 달렸네."

파리아 신부는 빙긋 웃으며 말했다.

그날부터 당테스는 파리아 신부에게 여러 가지 학문을 배우기 시작했다. 당테스는 훌륭한 학생이었다. 기억력도 좋았고, 이해력도 무척이나 빨랐다. 6개월이 지나자 당테스는 이탈리아 어, 그리스 어에 이어 에스파냐 어와 영어, 독일어로 이야기를 주고받을 수 있었다. 1년 뒤에는 더 이상 배울 게 없었고, 높은 교양까지 두루 갖추었다.

당테스와 파리아 신부는 공부를 하면서도 지하 땅굴을 계속 팠다. 그렇게 몇 년이 훌쩍 흘렀다.

그러던 어느 날 당테스가 땅굴을 파고 있는데 파리아

신부가 방에서 다급하게 당테스를 불렀다. 당테스는 황급히 파리아 신부의 방으로 달려갔다. 파리아 신부는 얼굴이 새파랗게 질려 거의 죽어 가고 있었다.

"신부님, 무슨 일이십니까?"

파리아 신부는 고통스러운 듯 겨우겨우 말을 이었다.

"나는…… 무서운 병에 걸려 있다네……. 감옥에 들어오기 전에도 발작이 한 번 일어난 적이 있지. 저기…… 내 침대에 약병이 있네. 내가 발작을 일으킨 후 죽은 사람처럼 딱딱하게 굳거든 입을 벌리고 그 약을 먹이게. 그러면 다시 살아날 걸세. 부탁하네……."

말을 마친 파리아 신부는 발작을 일으키며 서서히 몸이 굳더니 잠시 뒤에는 죽은 사람처럼 숨을 쉬지 않았다. 당테스는 서둘러 파리아 신부의 입을 벌리고 약을 떨어뜨렸다. 한 시간쯤 지나자 신부의 얼굴에 혈색이 돌아왔다.

"신부님, 살아나셨군요!"

"나는 이제 탈출하기는 틀렸네. 두 번째 발작으로 내 오른팔과 왼쪽 다리가 마비되어 버렸으니 말이야. 세 번

아, 신부님이
이 약을 먹고 제발
깨어나야 할 텐데…….
음, 이 약은
너무 써!

째 발작이 오면 나는 죽게 될 걸세. 나는 어차피 이곳에서 죽을 테니 자네 혼자 떠나게."

그 말에 당테스는 정색을 하며 대답했다.

"걱정 마세요. 제가 신부님을 업고 헤엄쳐 갈게요."

"아닐세. 그러다 둘 다 죽고 말 거야."

"맹세코 혼자 가지 않겠습니다. 신부님이 함께 갈 수 없다면 죽을 때까지 곁을 지키겠습니다."

당테스의 말에 파리아 신부는 감격한 표정으로 당테스를 물끄러미 바라보더니 미소를 지으며 말했다.

"고맙네. 자네는 정말 좋은 청년이야. 오늘은 돌아가서 쉬고, 들려줄 말이 있으니 내일 다시 오게."

당테스는 신부의 손을 꼭 잡아 준 뒤 방으로 돌아왔다.

다음 날 침착한 표정으로 당테스를 맞은 파리아 신부는 당테스에게 가늘게 말린 작은 종이 한 장을 건네주었다.

"이 종이는 내 보물이라네."

당테스는 파리아 신부가 보물 이야기를 하자 간수들이 미치광이 신부라고 하던 말이 생각났다.

'발작을 하더니 결국 다시 미쳐 버리셨구나!'

당테스가 선뜻 믿지 않자 파리아 신부가 말했다.

"에드몽, 자네는 내 말을 믿지 않는군. 하지만 마지막 발작이 일어나기 전에 내 아들 같은 자네에게 보물에 대해 꼭 이야기해 주고 싶네."

파리아 신부는 보물에 대한 흥미로운 이야기를 꺼냈다.

"나는 이탈리아의 스파다 백작이라는 사람의 절친한 친구였네. 스파다 가문은 오래전 이탈리아 최고의 부자였다네. 수백 년 전 당시 엄청난 부자였던 추기경 스파다는 어느 날 교황에게 식사 초대를 받고 찾아갔다가 독살이 되고 말았다네. 스파다의 재산을 빼앗으려는 교황의 음모였지. 추기경이 죽고 난 뒤 교황은 추기경의 집을 샅샅이 뒤졌어. 하지만 추기경이 남긴 유서 한 장 말고는 보물이라곤 하나도 없었다네. 유서에는 '나는 사랑하는 조카에게 내 책들을 남긴다. 그중에서도 모서리에 황금 칠을 한 기도서는 큰아버지가 남겨 준 기

추기경은 로마 가톨릭
교회에서 교황 다음가는
성직이란다.

념물로 잘 보관해 주기 바란다.'라고 쓰여 있었지. 그 뒤 수백 년이 지나도록 스파다 가문의 후손들은 추기경의 재산을 찾을 수가 없었어. 그저 대대로 물려 온 기도서만이 남아 있을 뿐이었지. 스파다 가문의 마지막 후손이었던 스파다 백작은 죽으면서 친구였던 내게 그 기도서를 물려주었네. 어느 날 밤 나는 그 기도서를 읽다가 촛불이 꺼지는 바람에 불을 켜려고 기도서에 끼워져 있던 낡은 종이 한 장을 꺼내들었지. 누런 종이에 불을 붙이려는 순간 갑자기 그 종이에 글씨가 나타났네. 특수한 잉크로 쓰여 있어서 열을 가해야만 글씨가 보였던 거야. 그것이 스파다 추기경이 진짜로 전하고 싶었던 유서였지."

당테스는 누런 종이에 쓰인 글을 천천히 읽었다.

1498년 4월 25일 나는 교황 알렉산데르 6세로부터 초대를 받았다. 나를 죽이고 내 재산을 가로채려는 교황의 음모일지도 모르기에 상속자인 조카 귀도 스파다에게 다음의 사실을 전한다. 이전에 나와 함께 간 적이 있는 몬테크리스토 섬의 동굴 안에 금괴, 금화, 보석 등을 모두 묻어 놓았다. 섬의 동쪽 만에서 정확히 스무 번째 바위를 들추면 동굴 입구가 나올 것이다. 보물은 제2의 동굴 가장 깊은 구석에 있다.

1498년 4월 25일 세자르 스파다

"이제 믿겠나? 나는 이 글을 읽고 곧바로 보물을 찾으러 가려고 했네. 하지만 그전에 붙잡혀서 감옥에 갇히는 신세가 되고 말았지. 만약 발작이 일어나기 전에 탈출했다면 자네를 그 섬에 데려갔을 걸세."

"신부님, 그 보물은 모두 신부님의 것입니다. 저는 신부님의 친척도 아니잖아요."

"오! 자네는 내 아들이야, 에드몽!"

파리아 신부는 당테스의 목을 끌어안으며 따뜻한 목소리로 속삭였다. 그 말에 당테스도 파리아 신부를 끌어안고 울음을 터뜨렸다.

당테스는 날마다 파리아 신부의 방으로 건너가 신부를 간호看護하고 말동무가 되어 주었다. 그럼에도 파리아 신부의 건강은 더욱 나빠져만 갔다.

어느 날 밤 당테스는 파리아 신부가 감방에서 당테스를 부르는 소리를 들었다. 당테스는 서둘러 신부의 방으로 건너갔다. 파리아 신부는 지난번 발작 때처럼 바닥에 쓰러져 있었다. 마지막 발작이 시작된 것이다.

"에드몽, 마지막 순간이 온 것 같네……."

"약을 가져올 테니 잠시만 기다리세요."

"소용없어. 그 대신 내 말을 잘 듣게……. 내 아들 에드몽, 스파다의 보물은 분명히 있네. 탈출하면 몬테크리스토 섬으로 가서 보물을 찾게. 그 보물은 모두 자네 거야."

곧 무서운 발작이 시작되었다. 파리아 신부는 몸이 딱딱하게 굳더니 끝내 숨을 거두고 말았다. 당테스가 약을 신부의 입에 떨어뜨렸지만 아무런 효과가 없었다. 당테스

간호(看護) : 다쳤거나 앓고 있는 환자나 노약자를 보살펴 돌봄.

는 눈물을 흘리며 밤새 파리아 신부의 곁을 지키다가 아침이 되어 간수가 올 시간이 되자 자기 방으로 돌아왔다.

간수가 와서 당테스의 방을 보고 지나가자, 당테스는 땅굴을 통해 신부의 방 쪽으로 다가갔다. 곧 간수의 외침 소리가 들렸다. 잠시 뒤 의사와 교도소장이 신부의 방에 도착했다.

당테스에게 삶의
희망을 준 아버지 같은
파리아 신부가 죽다니!

"죽었습니다."

의사의 말에 소장은 간수들을 불러 지시했다.

"시체를 자루에 잘 싸 두었다가 저녁에 장례를 치러 주게."

의사와 소장이 나가고 간수들이 파리아 신부를 자루에 싸는 소리가 들렸다. 간수들이 자루의 입구를 꿰매 놓고 나가자 당테스는 땅굴에서 나왔다. 파리아 신부를 그대로 보내기가 너무 아쉬웠기 때문이다.

"정작 이곳을 먼저 나가는 건 신부님이군요. 이곳에서는 죽어서밖에 나갈 수가 없는 건가요?"

그 순간 한 가지 생각이 머리를 스치고 지나갔다.

'내가 이 자루에 들어가면 이곳을 탈출할 수 있어.'

더 이상 망설일 시간이 없었다. 당테스는 서둘러 자루 안에 있는 파리아 신부의 시체를 자신의 방에 옮겨 놓은 뒤 신부의 방으로 돌아와 자루 속으로 들어갔다. 그리고 안쪽에서 바늘과 실로 입구를 감쪽같이 꿰매 놓았다.

저녁이 되자 인부들이 파리아 신부의 방으로 들어왔다. 당테스는 손에 작은 칼을 움켜쥔 채 숨을 멈추고 있었다.

"말라빠진 영감이 왜 이렇게 무겁지?"

인부들은 자루를 들고 바깥으로 나갔다. 그러더니 어딘가에 자루를 내려놓고 당테스의 발목 쪽에 밧줄을 꽉 묶기 시작했다. 당테스의 귀에 파도 소리가 들렸다.

"날씨 한번 고약하네. 자, 준비됐나? 하나, 둘, 셋!"

그와 동시에 당테스는 자신의 몸이 허공에 던져진 것을 알았다. 몸이 아래쪽으로 한없이 떨어졌다. 발목에 36킬로그램짜리 추가 매달린 채 바다에 내던져진 것이다. 당테스는 바다 속 깊이 끌려 들어갔다. 이프 성의 묘지는 바로 바다였던 것이다.

꼭 힘든 일은
나한테 시킨다니까!
이 보게, 램프는
내가 들 테니 자네가
자루를 들게.
들키면 큰일이야.
죽은 사람처럼
숨을 쉬지 말자.
찍찍,
나는 다 알지롱!

4장
몬테크리스토 섬

당테스는 그대로 정신을 잃을 것만 같았다. 몸은 무거운 추 때문에 계속해서 바다 밑으로 끌려 들어갔다. 당테스는 서둘러 쥐고 있던 칼로 자루를 찢고 나와, 발목 쪽에 묶여 있는 밧줄을 잘랐다. 그러고는 세차게 발길질을 하여 물 위로 솟구쳐 올라왔다.

물 위로 올라온 당테스는 손발을 힘차게 저어 헤엄을 쳤다. 캄캄한 밤바다에서 헤엄치는 건 결코 쉬운 일이 아니었지만 선원들 중에서도 가장 헤엄을 잘 쳤던 당테스였기 때문에 파도를 뚫고 앞으로 계속 나아갈 수 있었다. 당테스는 죽을힘을 다해 가장 가까운 작은 무인도까지 헤엄쳐 갔다. 섬에 도착하자마자 곧 폭풍우가 몰아쳤다. 당테스는 폭풍우를 피해 섬의 동굴에 들어가 잠을 잤고, 다음 날 아침 지나가던 배에 구조救助되었다.

"구해 주셔서 감사합니다. 저는 몰타 섬의 선원입니다. 간밤에 몰아친 폭풍우에 배가 난파되었는데 선장과 선원들은 모두 바다에 휩쓸려 가서 보이지 않고, 저는 겨우 이 섬까지 헤엄쳐 왔습니다."

"우리는 당신 머리랑 수염을 보고 산적인 줄 알았소."

그제야 당테스는 이프 성에 있는 동안 이발을 한 번도 하지 못했다는 것이 생각났다.

"아, 이건 몇 년 전 조난을 당했다가 가까스로 살아난 뒤 10년 동안 머리와 수염을 깎지 않겠다고 맹세를 했기 때문이에요. 그건 그렇고, 제가 어젯밤 난파당한 충격 때

구조(救助) : 재난 따위를 당하여 어려운 처지에 있는 사람을 구하여 줌.

휴, 나는 처음에 저 머리 보고 산적인 줄 알았다니까.
제가 난파를 당하는 바람에 기억이 가물가물한데, 올해가 몇 년도죠?
참 이상한 사람이군. 그야 1829년이지. 젊은 사람이 안됐군.

문에 기억이 오락가락한데 올해가 정확히 몇 년도죠?"

"올해? 이 사람 참 이상하군! 그야 1829년이지."

당테스는 그 말을 듣고 남몰래 쓰디쓴 미소를 지어 보였다. 자그마치 14년 동안이나 이프 성에 갇혀 있었던 것이다. 당시 열아홉 살이던 당테스는 벌써 서른세 살이 되어 있었다. 당테스의 두 눈이 다시 분노로 타올랐다. 당테스는 당글라르, 페르낭, 빌포르 검사에게 복수를 하겠다는 맹세를 곱씹었다.

당테스를 구조해 준 배는 밀수품을 거래하는 밀수선이었다. 배의 선장은 당테스가 매우 뛰어난 항해술을 가지고 있는 것을 알고 그를 선원으로 썼다.

배가 리보르노라는 항구에 도착하자 당테스는 이발소부터 찾아갔다. 그곳에서 머리카락과 수염을 깎은 당테스는 14년 만에 처음으로 거울을 보았다. 14년간의 감옥 생활은 당테스의 얼굴을 아주 많이 변하게 했다.

리보르노는 이탈리아
북부 리구리아 해안에
있는 항구 도시야.

'아무도 내 얼굴을 알아볼 수 없겠는걸?'

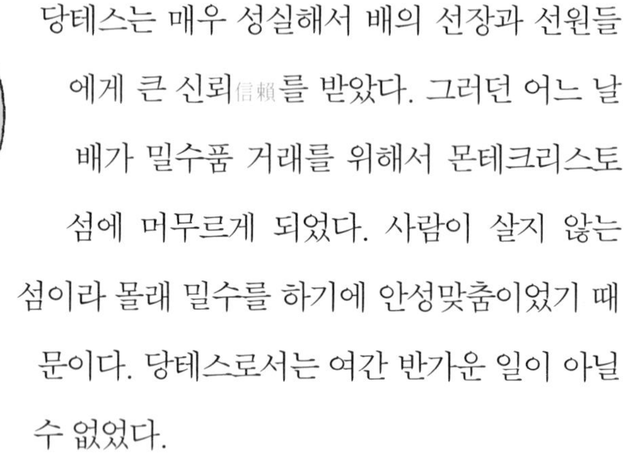

밀수란 정상적인
세관을 거치지 않고 몰래
물건을 사들여 오거나
내다 파는 행위야.

당테스는 매우 성실해서 배의 선장과 선원들에게 큰 신뢰信賴를 받았다. 그러던 어느 날 배가 밀수품 거래를 위해서 몬테크리스토 섬에 머무르게 되었다. 사람이 살지 않는 섬이라 몰래 밀수를 하기에 안성맞춤이었기 때문이다. 당테스로서는 여간 반가운 일이 아닐 수 없었다.

밀수품 거래가 끝나고 선원들이 다들 쉬고 있을 때 당테스는 산양을 잡아 오겠다고 길을 나섰다. 그러다가 돌아오는 길에 높은 바위 위에서 일부러 발을 헛디뎌 떨어지고 말았다. 선원들이 깜짝 놀라 달려와 물었다.

"이봐, 괜찮은 건가?"

"윽! 허리를 다쳐 꼼짝도 못 할 것 같습니다. 모두에게 폐를 끼치고 싶지 않으니 저는 그냥 두고 가셨다가 며칠 후에 지나가는 길에 데려가 주십시오. 총과 화약, 먹을 것

신뢰(信賴) : 굳게 믿고 의지함.

을 약간만 챙겨 주시고요. 아, 혹시 필요할지 모르니 곡괭이도 한 자루 주고 가십시오."

선장과 선원들은 걱정이 되어 당테스를 두고 떠나지 않으려 했으나 별다른 방법이 없었다. 그래서 며칠 뒤에 데리러 오겠다며 총과 화약, 곡괭이를 두고 떠났다.

배가 멀리 사라지자 당테스는 자리를 털고 일어나 보물이 숨겨진 동굴을 찾아 나섰다. 당테스는 종이에 써 있던 대로 섬의 동쪽 만에서부터 스무 번째 되는 바위를 찾았다. 하지만 바위는 아무리 힘을 줘도 꿈쩍하지 않았다.

어쩔 수 없이 화약을 이용해 바위를 폭파시키자 바위 뒤쪽에 작은 구멍이 나타났다. 당테스는 곡괭이로 구멍이 있는 곳을 열심히 팠다.

마침내 쇠고리가 달린 큰 돌이 나타났다. 사람이 일부러 박아 놓은 듯했다. 당테스는 쇠고리를 잡고 돌을 힘껏 들어 올린 다음 옆으로 치웠다. 그러자 아래쪽으로 구부러진 어두운 동굴이 모습을 드러냈다.

당테스는 탄성을 지르며 동굴로 들어갔다. 그러나 아무

리 찾아봐도 그 동굴에는 보물이 없었다.

'처음부터 보물이 없었던 게 아닐까? 맞아, 추기경은 보물이 제2의 동굴에 있다고 했어.'

당테스는 동굴 벽을 모두 두드려 가며 조사를 했다. 그러자 한쪽 벽에서 이상한 소리가 들렸다. 자세히 보니 누군가가 일부러 흙벽을 쌓아 놓은 것 같았다. 당테스는 그쪽을 부지런히 팠다. 잠시 뒤 벽 너머로 새로운 동굴이 나타났다. 제2의 동굴이었다.

두 번째 동굴로 한참을 들어간 당테스는 막다른 곳에 이르자 약간 움푹해 보이는 곳을 파기 시작했다. 얼마 파지 않아 스파다 가문의 문장이 새겨진 커다란 나무 상자가 나왔다. 나무 상자의 자물쇠를 곡괭이로 비틀어 열자 어마어마한 양의 금은보석들이 모습을 드러냈다.

"아, 신부님…… 스파다의 보물은 실제로 있었군요."

엿새 뒤 밀수선이 당테스를 데리러 왔을 때 당테스의 주머니에는 다이아몬드 네 개가 들어 있었다. 당테스는 그것을 리보르노에 가서 팔았다. 그러고는 친척에게 큰

쿨쿨!
히야, 정말로 보석이 있었잖아? 파리아 신부님 말이 맞았어. 감사합니다, 신부님!
먹는 것도 아닌데 좋아하기는!

재산을 물려받았다며 밀수선의 선원들과 작별 인사를 했다. 그런 다음 제노바에서 요트를 한 척 사서 다시 몬테크리스토 섬으로 향했다. 그리고 몬테크리스토 섬에 있던 보물을 요트에 모두 옮겨 실었다.

며칠 뒤, 마르세유 항에는 요트 한 척이 들어왔다. 요트에서 내린 사람은 경찰이 신분증을 요구하자 '영국인 윌모어 경'이라고 이름이 쓰여 있는 여권을 내밀었다.

영국인 부자의 정체가 궁금한걸. 왜 그 사람이 당테스가 살았던 집을 비싼 돈을 주고 샀을까?

며칠 사이에 마르세유에는 재산이 굉장히 많은 영국인 부자가 이런저런 소식을 묻고 다닌다는 소문所聞이 돌았다. 영국인 부자는 노아유 거리의 멜랑 가로수길 왼쪽에 있는 작은 집을 2만 5000프랑이라는 비싼 가격에 샀다고 했다.

소문(所聞) : 사람들 입에 오르내려 전하여 들리는 말.

5장
돌아온 당테스

프랑스 남부 보케르 근처에 작고 낡은 여인숙이 하나 있었다. '퐁뒤가르'라는 그 여인숙의 주인은 바로 카드루스였다. 어느 날 이 여인숙에 부소니라는 이름의 신부가 찾아왔다.

"저는 에드몽 당테스의 유언을 지키러 왔습니다. 당테스는 죽으면서 저더러 자기의 억울함을 밝혀 달라고 부탁하더군요. 그리고 감옥에 같이 있던 한 정치범을 잘 보살펴 준 덕분에 선물로 받은 다이아몬드가 있는데, 그것을 그의 아버지와 친구인 당글라르, 페르낭, 카드루스 씨에게 나누어 주라고 했어요."

부소니 신부는 이렇게 말하며 품속에 있던 다이아몬드를 꺼내어 보여 주었다. 다이아몬드를 본 카드루스의 눈이 뱀처럼 빛났다.

"흥, 페르낭과 당글라르는 당테스를 보나파르트 당이라고 밀고한 사람들인데 그들이 무슨 친구입니까? 그들이 일을 꾸밀 때 제가 바로 옆에 있었어요. 나중에 밝히려고 했지만 당글라르의 협박脅迫 때문에 하지 못했지요."

그 말을 들은 부소니 신부는 깜짝 놀라는 표정을 짓더니 다시 물었다.

"그럼 당테스의 아버지는 어떻게 됐습니까?"

"당테스의 아버지는 아들이 잡혀가자 아무것도 먹지 못하고 병이 나고 말았어요. 모렐 씨가 지갑까지 통째로 벽난로 위에 올려놓고 가면서 노인을 위로했지만 노인은 슬픔을 못 이기고 결국 굶어 죽고 말았답니다. 노인이 죽자 모렐 씨가 놓고 간 지갑에서 돈을 꺼내 빚고 갚고 장례

협박(脅迫) : 겁을 주며 남에게 억지로 어떤 일을 하도록 함.

도 치렀습니다. 그 빨간 지갑은 제가 보관하고 있어요."

이야기를 듣고 부소니 신부는 잠시 슬픈 표정을 지었지만 정신을 가다듬고 계속해서 물었다. 카드루스의 말에 의하면 모렐 씨는 그 뒤 사업이 크게 어려워졌다고 했다. 2년 동안 모렐 상사의 배들이 무려 다섯 척이나 바다 속에 가라앉아 버린 것이다. 남은 건 파라옹호뿐이었는데 그 배가 무사히 인도에서 돌아와 주지 않는다면 모렐 씨는 완전히 망할 거라고 했다.

또 당글라르는 모렐 상사를 그만두고 큰 은행가가 되었는데, 귀족의 딸과 결혼하여 지금은 당글라르 남작이 되었다고 했다.

페르낭은 군인이 되었는데, 프랑스 첩자로 에스파냐 군대에 들어가 공을 세워 대령이 되었다고 했다. 얼마 뒤에는 그리스 총독 알리 파샤의 밑에 들어갔는데, 총독이 죽고 나서 유산을 물려받아 부자가 되었다. 그 뒤 이름을 바꿔 지금은 모르세르 백작이 되었다고 했다.

당테스를 불행에 빠뜨린 사람들은 더 떵떵거리며 살고 있구나.

메르세데스는 당테스가 잡혀간 뒤 눈물로 세월을 보내다가 페르낭이 끈질기게 청혼하자 결국 18개월 만에 페르낭의 아내가 되었다고 했다. 지금은 모르세르 백작 부인이 되었고, 알베르라는 아들도 있다고 했다.

부소니 신부는 모든 이야기를 듣고 분노로 몸을 부들부들 떨었다. 그리고 잠시 뒤 고마움의 표시로 값비싼 다이아몬드를 카드루스에게 건네주며 말했다.

"이 보석을 받을 사람은 당신뿐인 것 같소. 그 대신 모렐 씨의 빨간 지갑을 주실 수 있겠습니까?"

카드루스는 매우 기뻐하며 지갑을 가져와 건네주었다. 신부는 마지막 인사를 하고 다시 왔던 길로 돌아갔다.

며칠 뒤, 모렐 상사에 한 영국 사람이 나타났다. 그는 톰슨 앤 프렌치 상사에서 나온 사람이라고 했다.

"선생님께서는 여기저기에 빚을 28만 7500프랑이나 지었더군요. 그 모든 사람들이 받을 빚을 우리 톰슨 앤 프렌치 상사에서 사들였습니다. 이제 우리 회사에 그 돈을 갚으시면 됩니다."

나 같으면 카드루스한테 안 줄 거야.
모렐 씨의 빨간 지갑은 제가 가져가겠습니다. 그 보석은 이제 당신 겁니다.
흐흐흐, 이게 웬 횡재냐? 내 평생 이런 큰 다이아몬드는 처음 봐.

모렐 씨는 힘없이 고개를 끄덕이며 말했다.

"네, 그렇게 되었군요. 그렇다면 이쪽에서도 솔직히 말씀드리겠습니다. 실은 인도로 떠난 파라옹호만 돌아온다면 그 돈을 갚을 수 있습니다. 하지만 파라옹호가 돌아오지 못하면 저희는 파산破産할 수밖에 없는 상황입니다."

그때 모렐 씨의 딸 쥘리가 얼굴이 새파래져서 뛰어 들어왔다.

"아버지! 불행한 소식이에요. 파라옹호가 그만……."

"파라옹호가…… 침몰했다는 말이구나. 그래 선원들은 무사하냐?"

"선원들은 지나가던 배에 구조되었대요. 하지만 배와 짐들은……."

"오! 하느님, 감사합니다. 선원들이 무사하다니 다행이다. 이제 불행은 나만 짊어지면 되겠구나."

선원들의 안전부터
물어보다니 모렐 씨는
역시 마음이 따뜻한
사람이구나.

파산(破産) : 재산을 모두 잃고 망함.

그러자 곁에 있던 영국인이 눈시울을 붉히며 말했다.

"모렐 씨, 참으로 안된 일입니다. 당신에게 힘이 되어 드리고 싶군요. 돈을 갚을 날짜를 미뤄 드리지요. 오늘이 6월 5일이니까 석 달 뒤 9월 5일 오전 11시에 다시 찾아 뵙겠습니다."

모렐 씨는 생전 처음 만난 영국인의 친절에 고마워하며 그를 문 앞까지 배웅해 주었다.

한편 영국인은 모렐 씨의 방에서 나오면서 모렐 씨의 딸 쥘리에게 조용히 말했다.

"아가씨, 앞으로 어느 날엔가 선원 신드바드라는 서명이 있는 편지를 받게 될 겁니다. 이상한 부탁 같겠지만 그 때 반드시 그 편지에 씌어 있는 대로 해 주십시오."

쥘리는 그 고마운 영국 사람이 나쁜 사람이 아니라고 생각했다. 그래서 꼭 그렇게 하겠노라고 약속했다.

석 달 동안 모렐 씨는 돈을 구하기 위해 갖은 애를 썼다. 하지만 속절없이 시간만 갈 뿐이었다. 그는 백만장자가 되었다는 당글라르에게까지 찾아가 보았으나 비참하게 거절만 당했다. 9월 5일이 다가오자 아버지가 걱정된 쥘리는 군대에 가 있는 오빠 막시밀리앙에게 휴가를 내서 집으로 와 달라는 편지를 보냈다.

운명運命의 9월 5일이 되었다. 모렐 씨는 회사의 돈을 모두 모았지만 1만 4000프랑이 전부였다. 모렐 씨는 담담한 표정으로 자신의 사무실로 들어갔다. 쥘리와 모렐 씨의 아내는 모렐 씨가 자살할지도 모른다는 생각에 불안을 떨칠 수 없었다. 그때 막시밀리앙이 집에 도착했다.

아버지에게 오빠가 왔다는 사실을 알리려고 집 밖으로 나서던 쥘리는 문밖에서 한 남자를 만났다. 그 남자는 쥘리에게 아버님의 운명에 관계된 것이라며 편지 한 장을 주었다. 쥘리는 편지를 뜯어 보았다.

지금 곧 멜랑 가로수길 15번지 집으로 가서 문지기에게 6층 열쇠를 받아 방으로 들어가십시오. 그 방 벽난로

운명(運命) : 앞으로의 삶과 죽음에 관한 처지.

위에 있는 빨간 지갑을 아버님께 갖다 드리십시오. 지갑은 반드시 11시 전에 갖다 드려야 합니다.

선원 신드바드

신드바드는 <아라비안나이트>에 등장하는 바그다드의 상인 이름이야.

쥘리는 곧장 멜랑 가로수길로 달려갔다.

한편 모렐 씨의 사무실로 들어간 막시밀리앙은 아버지가 막 자살을 하려는 것을 보고 깜짝 놀랐다.

"아버지! 도대체 무슨 일입니까? 당장 그만두십시오."

"막시밀리앙, 너는 군인이니 명예가 무엇인지 잘 알 것이다. 그러니 나를 말리지 마라."

모렐 씨는 막시밀리앙에게 모렐 상사가 처한 힘겨운 상황과 모든 돈을 모아도 빚을 갚을 수 없다는 사실을 말해 주었다.

"11시가 되면 우리의 명예가 땅에 떨어질 것이다."

"아버지, 그렇다면 저도 아버지와 함께 죽겠습니다."

"당치 않은 소리! 그러면 네 어머니와 여동생은 누가 돌본단 말이냐?"

모렐 씨와 막시밀리앙은 서로 부둥켜안고 울었다. 11시가 몇 분 남지 않자 모렐 씨는 다시 권총을 들었다. 그때 문이 벌컥 열리면서 쥘리가 사무실로 뛰어 들어왔다.

"아버지, 살았어요! 이제 살았어요!"

"얘야, 살았다니 그게 무슨 소리냐?"

쥘리는 빨간 지갑을 높이 들고 아버지의 품에 안겼다. 지갑을 받은 모렐 씨는 깜짝 놀랐다. 그것은 옛날에 자신이 당테스의 아버지에게 주었던 지갑이었기 때문이다.

지갑 속에는 모렐 상사가 28만 7500프랑의 빚을 모두 갚았다는 영수증이 들어 있었다. 그리고 '쥘리의 결혼 선물'이라는 쪽지와 함께 다이아몬드 하나가 들어 있었다. 쥘리는 지갑이 옛날 당테스의 집 벽난로 위에 있었다고 말했다. 정말 기적 같은 일이었다.

모렐 씨의 놀라움이 채 가시기도 전에 밖에서 반가운 소식이 들려왔다.

아버지,
멈추세요! 우린
살았어요!
막시밀리앙,
말리지 마라. 나는
명예롭게 죽고 싶구나.
아버지, 안 됩니다.
제발 그만두세요!

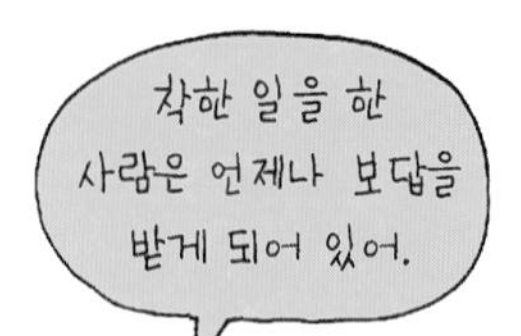
착한 일을 한
사람은 언제나 보답을
받게 되어 있어.

"파라옹호가 항구에 들어왔답니다!"

모렐 씨는 꿈이라도 꾸고 있는 것 같아 다리에 힘이 쭉 빠졌다.

"침몰한 파라옹호가 어떻게……."

막시밀리앙의 부축을 받고 모렐 씨는 서둘러 항구로 달려 나갔다.

"파라옹호다! 파라옹호다!"

항구에 모인 사람들이 소리쳤다. 항구로 파라옹호와 똑같이 생긴 배 한 척이 유유히 들어왔다. 그 배의 뱃머리에는 이렇게 씌어 있었다.

파라옹호, 마르세유 모렐 상사

사람들의 박수와 환호歡呼 속에서 모렐 씨는 감격의 눈물을 흘렸다.

환호(歡呼) : 기뻐서 큰 소리로 부르짖음.

6장

몬테크리스토 백작

그로부터 10여 년이 지난 1838년 파리 사교계에는 몬테크리스토 백작이라는 엄청난 부자가 나타났다. 몬테크리스토 백작은 40대 중반의 나이에 온몸에 품위가 넘쳐흘렀고, 정중하면서도 매우 강인해 보이는 사람이었다.

놀라운 건 이탈리아 로마를 여행하던 알베르 자작이 산적들에게 납치당한 것을 몬테크리스토 백작이 구해 주었다는 사실이다. 산적의 두목인 루이지 밤파는 백작과 잘 아는 사이였고, 그 덕분에 알베르를 어려움 없이 구할 수 있었던 것이다. 알베르는 고마운 마음에 몬테크리스토 백작을 파리에 있는 집으로 초대해 부모님께 소개했다.

“제 자식을 구해 주시다니 그 은혜恩惠를 어찌 다 말로 하겠습니까?”

알베르의 아버지인 모르세르 백작이 몬테크리스토 백작을 반갑게 맞으며 인사했다. 하지만 옆에 있던 모르세르 부인은 얼굴빛이 창백해지더니 몸을 휘청거렸다.

“아니, 어머니! 어디 편찮으세요?”

“아니, 아니다. 몬테크리스토 백작님, 제 아들을 구해 주셔서 정말 감사드립니다.”

모르세르 부인은 미소를 띠며 말을 하려 애썼지만 목소리가 가늘게 떨리고 있었다. 몬테크리스토 백작은 허리를 굽혀 모르세르 부인에게 정중하게 인사했다.

“앞으로 저는 파리에 집을 사서 파리 사교계에서 활동할 생각입니다. 많이 도와주시길 바랍니다.”

몬테크리스토 백작이 돌아간 뒤 모르세르 부인은 알베르를 불러 몬테크리스토 백작에 대해 이것저것 캐물었다.

은혜(恩惠) : 고맙게 베풀어 주는 신세나 혜택.

얼마 지나지 않아 몬테크리스토 백작이라는 이름은 파리 사교계에서 가장 유명한 이름이 되었고, 그와 함께 다니는 하이데라는 신비스럽고 아름다운 그리스 여자도 자주 화제에 올랐다. 백작은 샹젤리제에 있는 웅장한 저택을 산 뒤, 파리 근교 오퇴유에 있는 오래된 별장도 샀다. 하지만 그 누구도 이 모든 것이 복수를 위한 몬테크리스토 백작의 치밀한 계획이라는 것을 알지 못했다.

샹젤리제는 프랑스 파리에
있는 간선 도로의 하나야.
고급 상점과 호텔,
엘리제 궁전이 있지.

몬테크리스토 백작의 충실한 하인 중 하나인 베르투치오는 오퇴유에 있는 별장을 무서워했다. 베르투치오는 백작에게 아주 오래전 그곳에서 일어났던 무서운 일에 대해 말해 주었다.

"이 집은 옛날 빌포르 검사의 장인인 생메랑 후작의 별장이었습니다. 20년 전쯤, 저는 형을 죽인 범인을 찾아 달라고 빌포르 검사를 찾아갔다가 심한 모욕을 받고 쫓겨났지요. 그래서 빌포르 검사에게 복수하기로 결심했답니다.

어느 날 밤 저는 빌포르 검사가 이 별장에 있다는 것을 알고 그를 죽이려고 정원 마당에 몰래 숨어 있었습니다. 자정이 막 넘을 무렵 빌포르 검사가 작은 상자 하나와 삽을 들고 정원으로 나오더군요. 그러더니 정원 마당을 파고 그 상자를 묻지 뭡니까! 저는 빌포르 검사가 일을 마치고 돌아서자마자 달려들어 칼로 배를 찔렀습니다. 그리고 빌포르 검사가 묻은 상자에 혹시 돈이라도 있나 싶어서 그것을 다시 파서 도망쳤지요. 강가에 도착해서 상자를 열어 보니, 글쎄 갓 태어난 사내아이가 들어 있지 뭡니까. 아기는 다행히 살아 있었어요. 저는 그 아기를 형수님에게 맡겼습니다. 형수님은 그 녀석의 이름을 베네데토라고 지어 주고 정성 들여 키웠지만 그 녀석은 자라면서 점점 삐뚤어졌죠. 급기야 형수님이 자기 친어머니가 아니라는 사실을 안 베네데토는 집에서 돈을 훔친 뒤 형수님을 죽이고 달아났답니다."

몬테크리스토 백작은 그 말을 듣고 쓴웃음을 지었다.

파리 사교계에서는 너도나도 몬테크리스토 백작을 가

빌포르 검사잖아?
이 밤중에 뭘 하는 거지?
돈이라도 숨기는 걸까?
아무도 안 보고
있겠지? 어서 땅에
묻어 버리자.

까이 하려고 노력했다. 은행가 당글라르 남작, 모르세르 백작, 빌포르 검사도 그런 사람 중 하나였다.

얼마 후 파리 사교계에는 안드레아 카발칸티 공작이라는 사람이 나타났다. 카발칸티 공작은 이탈리아에서 온 젊은 귀족이라고 했지만 사실 진짜 그의 이름은 베네데토였다.

사교계란 사교 활동에 관련된 사람들의 활동 분야를 말해. 주로 상류 계층의 사람들로 이루어지지.

베네데토를 사교계에 소개한 사람은 몬테크리스토 백작이었다. 베네데토는 얼마 전까지 감옥에 갇혀 있었는데, 그를 감옥에서 꺼내 주고 신분을 변장變裝시켜 준 사람이 바로 몬테크리스토 백작이었다.

어느 날 몬테크리스토 백작은 오퇴유의 별장에 사람들을 초대해 큰 파티를 열었다. 이 파티에는 사교계의 유명한 사람들이 모두 모여

변장(變裝) : 본래의 모습을 알아볼 수 없게 하기 위하여 옷차림이나 얼굴, 머리 모양 따위를 다르게 바꿈.

들었다. 사람들은 오랫동안 아무도 살지 않았던 집이 매우 아름답게 바뀐 것을 보고 깜짝 놀랐다.

파티에 참석한 사람들에게 몬테크리스토 백작이 무서운 이야기를 들려주었다.

"저는 이 집에서 전에 무서운 범죄가 일어났다고 확신하고 있습니다. 저희 하인들이 이 집을 고치던 중 정원의 나무들을 옮기다 땅속에서 상자 하나를 발견했는데, 그 상자 속에서 갓난아기의 뼈가 나오지 않았겠습니까? 죽은 아기라면 왜 굳이 땅속에 몰래 묻어 놓았겠습니까? 살아 있는 아기를 묻은 것이 분명합니다."

"그럴 수가!"

사람들은 백작의 말에 비명을 질렀다. 그중 빌포르 검사와 당글라르 부인의 얼굴은 유독 새파랗게 변했다. 몬테크리스토 백작이 빌포르 검사를 돌아보며 물었다.

"검사님, 만약 그런 죄를 지은 자가 있다면 어떻게 처벌합니까? 사형을 시키는 게 마땅하지 않습니까?"

그 말에 빌포르 검사는 더듬더듬 대답했다.

모르세르 백작이라고?
아니야, 저 사람은
페르낭이 틀림없어.
뭐? 누가 그런
파렴치한 짓을
저지른 거야?
세상엔 나쁜 사람들이
참 많군. 누군지는 몰라도
당장 사형에 처해야 해.

이 집에서 끔찍한 일이 벌어진 게 확실해요. 글쎄, 정원 마당에서 아기 뼈가 든 상자를 발견했지 뭡니까.
뭐? 아기 뼈가 든 상자를 발견했다고? 그, 그럴 리가 없어.
돈이 될 만한 얘기는 안 하나?
아, 이 일을 어쩌면 좋아! 빌포르와 내가 한 짓이 들통이 나면 모든 게 끝이야.
당글라르 부인이 왜 저렇게 당황하는 거지? 이상하네.

"그, 그래야 마땅하지요……."

당글라르 부인은 금방이라도 쓰러질 것만 같았다. 사람들이 다른 장소로 이동移動하자 빌포르 검사는 당글라르 부인에게 조용히 다가와 속삭였다.

"할 이야기가 있으니 내일 검사실로 찾아와 주십시오."

"그러죠."

다음 날 당글라르 부인은 빌포르 검사를 찾아갔다.

"반갑습니다, 부인. 참 오랫만이군요."

"우리가 옛날에 저지른 죄가 이렇게 무서운 유령처럼 되살아서 돌아올 줄 몰랐어요. 내가 낳은 아기의 뼈가 그 정원에서 나왔다니……."

그러자 빌포르가 낮은 목소리로 말했다.

"부인, 몬테크리스토 백작의 말은 거짓말입니다. 그날 코르시카 인의 칼에 찔린 후 나는 몇 달간 앓아누웠지요. 몸이 낫고 난 뒤 아기를 묻은 장소로 가서 땅을 파 보았지

이동(移動) : 움직여 옮김. 또는 움직여 자리를 바꿈.

만 아무것도 찾을 수 없었어요. 그 코르시카 인이 데리고 간 게 틀림없습니다."

"그렇다면 아이가 어딘가에 살아 있다는 말인가요?"

"그렇습니다."

빌포르 검사와 당글라르 부인은 불안에 떨기 시작했다.

코르시카는 지중해
북부 사르데냐 섬 북쪽
보니파시오 해협 사이에
있는 프랑스령 섬이야.

그 무렵 당글라르 남작은 손대는 사업마다 낭패를 보았다. 이상하게도 잘못된 정보가 흘러들어 오고, 투자한 돈이 다 날아가고, 주식값이 뚝 떨어지는 등 안 좋은 일들이 겹쳤다. 물론 당글라르는 몬테크리스토 백작이 뒤에서 이 모든 불운을 조종하고 있다는 사실을 전혀 눈치채지 못했다.

심각한 손해가 계속되자 당글라르는 자신의 딸 외제니를 이탈리아의 부자 귀족이라고 알려진 안드레아 카발칸티에게 시집보내려고 했다. 안드레아는 기뻐했고, 당글라르는 서둘러 안드레아와 딸의 약혼 날짜를 잡았다.

당글라르를 만나고 집으로 돌아간 안드레아는 하인의 옷을 빌려 입고 카드루스를 만났다.

두 사람은 감옥에서 함께 생활한 사이였다. 카드루스는 부소니 신부가 주고 간 다이아몬드를 보석 상인에게 비싼 값을 받고 팔았다. 하지만 다이아몬드에 욕심이 생겨 보석 상인과 자신의 아내를 다 죽이고 달아나다가 잡혀서 감옥에 들어갔다. 감옥에서 탈출한 카드루스는 이탈리아 귀족 행세行勢를 하고 있는 베네데토를 알아보고 협박해서 자주 돈을 뜯어냈다.

"도대체 내게 더 이상 뭘 바라는 거지? 돈이라면 충분히 주고 있잖아!"

베네데토의 말에 카드루스가 실실 웃으며 말했다.

"어허, 친구를 오랜만에 만났는데 이렇게 대하면 쓰나? 내게 기막힌 생각이 하나 떠올랐어. 푼돈이나 만질 게 아니라 크게 한밑천 잡아 보자고. 자네 뒤를 봐주고 있

행세(行勢) : 해당되지 아니하는 사람이 어떤 당사자인 것처럼 처신하여 행동함.

는 몬테크리스토 백작을 죽이고 그 사람의 돈을 갖고 달아나는 거지. 내일 백작이 오퇴유로 간다고 하더군. 내가 편지를 보냈거든. 그 집에 좀도둑이 들 테니 혼자 기다렸다가 잡으라고. 그때 내가 칼을 들고 들어가서 백작을 죽일 거야. 너는 밖에서 망만 보면 돼. 어때, 같이 하겠나?"

카드루스는 욕심이
끝이 없구나. 그 욕심이
결국 자신을 망칠 거라는
사실을 모를까?

잠시 생각하던 베네데토는 카드루스의 말에 고개를 끄덕였다.

"좋아."

다음 날 카드루스의 말대로 몬테크리스토 백작은 오퇴유의 별장에 가 있었다. 하지만 백작은 카드루스의 편지를 읽고 이미 그것이 함정이라는 사실을 눈치챘다. 백작은 권총을 챙겨 하인 알리와 함께 미리 숨어 있었다.

그날 저녁 수상한 남자가 별장으로 몰래 숨어들었다.

'한 놈은 들어와서 움직이고 다른 한 놈은 밖에서 망을 보고 있는 게 틀림없어.'

아하, 몬테크리스토
백작이 부소니 신부였고,
부소니 신부가 바로
당테스였구나.

백작은 알리에게 거리에 있는 사람을 감시하라고 지시하고 방으로 숨어든 남자를 지켜보았다. 집 안으로 들어온 남자는 다름 아닌 카드루스였다. 백작은 얼른 신부 복장으로 옷을 갈아입고 가발을 썼다. 그런 뒤 촛불을 들고 모습을 드러냈다.

"카드루스 씨, 여기서 무얼 하시오?"

카드루스는 깜짝 놀라 돌아보았다.

"부소니 신부님?"

"그렇소. 보아하니 몬테크리스토 백작의 집에 무언가를 훔치러 왔군요. 내가 준 다이아몬드 때문에 보석 상인과 아내를 죽이더니 아직도 못된 버릇을 못 고쳤소? 나는 당신과 베네데토의 비밀을 모두 알고 있소. 당신들의 일을 당글라르 남작에게도 알릴 참이오."

부소니 신부의 말에 카드루스는 품 안에 갖고 있던 칼을 꺼내어 신부의 가슴을 찌르며 외쳤다.

"에잇, 빌어먹을! 죽어라, 신부!"

그러나 몬테크리스토 백작은 이런 일을 예상하고 옷 안에 강철로 된 조끼를 입고 있었다. 칼이 튕겨나간 것과 동시에 카드루스는 백작의 손에 팔목이 비틀리고 말았다.

"아악! 신부님, 제발 한 번만 살려 주십시오."

"조용히 하고 이 종이에 내가 부르는 대로 써라."

카드루스는 백작의 힘에 눌려 시키는 대로 썼다.

당글라르 남작님! 남작님이 따님과 결혼시키려는 자는 저와 함께 툴롱 감옥을 탈옥한 전과자 베네데토라고 합니다. 그는 귀족도 아니고, 부모의 얼굴을 한 번도 본 적이 없는 고아입니다.

카드루스는 백작이 시키는 대로 편지에 서명을 했다.

"자, 어서 가거라. 그리고 당장 프랑스를 떠나라."

카드루스는 가도 좋다는 말에 들어왔던 창문을 통해 바깥으로 후다닥 도망쳤다. 그러나 카드루스가 벽을 타고 내려가서 땅에 발이 닿자마자 밖에서 망을 보고 있던 남자가 칼로 카드루스를 찔렀다.

"으악!"

카드루스는 비명을 지르며 쓰러졌고, 망을 보던 남자는 카드루스를 칼로 찌른 다음 곧장 어디론가 달아나 버렸다. 백작은 신부 차림을 한 채 바깥으로 달려 나왔다.

"이보게, 카드루스, 괜찮은가? 의사와 검사를 부르라고 하인을 보냈네."

"윽, 신부님! 저는 의사가 와도 살기 힘들 거예요. 죽기 전에 나를 죽인 자가 누구인지 알려 드리겠습니다. 그자는 바로 베네데토입니다. 몬테크리스토 백작의 재산을 혼자 가로채려고 나를 죽인 겁니다."

"그렇다면 자네가 말한 것을 내가 종이에 받아써 주겠네. 자네는 여기 끝에다 서명만 하면 돼."

백작은 서둘러 종이에 카드루스의 말을 받아썼다.

저는 툴롱 형무소에서 함께 생활한 친구 베네데토의 손에 죽습니다.

누가 이런 짓을 했는지
내가 밝혀 줄 테니
이곳에 서명을 하게.
신부님, 나를
칼로 찌른 사람은
베네데토입니다.

카드루스는 마지막 온 힘을 짜내 서명을 했다. 서명이 끝나자 몬테크리스토 백작이 말했다.

"카드루스, 베네데토는 곧 벌을 받을 것이다. 하지만 하느님은 너에게 잘못을 뉘우칠 시간을 주셨다. 그러니 베네데토를 원망하기 이전에 네 죄를 뉘우치고 참회懺悔해라!"

"난 하느님을 믿지 않습니다. 나보다 나쁜 사람들도 다 멀쩡히 잘 살고 있지 않습니까. 난 참회하지 않아요."

"그렇다면 나를 잘 봐라. 하느님이 살아 계신 걸 알 수 있을 것이다."

백작은 변장을 위해 썼던 가발을 벗었다.

"검은 머리만 아니라면……."

"나는 부소니 신부가 아니다. 나를 더 자세히 봐라. 좀 더 옛날로 돌아가서 기억을 더듬어 봐. 넌 나를 본 일도 있고 잘 알고 있기도 해."

참회(懺悔) : 자기의 잘못에 대하여 깨닫고 깊이 뉘우침.

"정말 어디서 본 것 같군요. 당신은 대체 누구입니까?"

백작은 죽어 가는 카드루스를 슬픈 눈으로 바라보며 그의 귀에 입을 가져가 나지막한 목소리로 말했다.

"나는……."

카드루스는 죽기
직전에야 자신의 잘못을
깨달았구나. 정말
안타깝다.

백작의 입에서 조용히 옛 이름 하나가 새어 나왔다. 그 소리를 듣자마자 카드루스는 부르르 떨며 팔을 번쩍 들어 마지막으로 소리쳤다.

"오, 하느님! 저를 용서해 주시옵소서!"

카드루스는 그 소리와 함께 뒤로 나자빠졌다. 그러고는 두 번 다시 일어나지 않았다. 잠시 후 빌포르 검사와 의사가 도착했을 때 부소니 신부는 죽은 카드루스 옆에서 기도를 드리고 있다가 두 사람을 맞이했다.

7장
드러나는 비밀들

어느 날 파리의 한 신문에 이상한 기사가 실렸다.

지금까지 알려져 있지 않았던 사실이 하나 드러났다. 오래전 그리스 자니나의 총독 알리 파샤는 한 프랑스 장교의 배신으로 터키 군에게 성을 빼앗기고 죽임을 당했다. 알리 파샤 총독을 배신한 페르낭이라는 프랑스 장교는 그 뒤 이름을 모르세르 백작이라고 바꾸었다.

그날 아침 신문에서 기사를 읽은 귀족원 회원들은 당장 회의를 소집했다. 회의가 시작되자 의장이 단상 앞으로 나가서 말했다.

"오늘 아침 신문에 자니나 총독 알리 파샤를 배반한 프랑스 장교 페르낭이 귀족원의 모르세르 백작이라는 기사가 실렸습니다. 귀족원의 명예를 떨어뜨린 모르세르 백작은 앞으로 나와 이 사건에 대해 해명해 보십시오."

모르세르 백작은 단상으로 나가서 태연하게 말했다.

"여러분, 이것은 분명히 저를 시기하는 자들의 모함입니다. 저는 결백합니다. 제가 알리 파샤 총독 밑에서 일한 것은 맞지만 알리 파샤 총독은 죽어 가면서도 그의 딸과 부인을 부탁할 정도로 저를 믿었습니다. 애석하게도 그의 부인과 딸이 행방불명行方不明이 되었지만 말입니다."

이렇게 시작된 연설은 참으로 감동적이었다. 모르세르 백작의 연설이 끝나자 의장이 말했다.

"백작, 당신의 연설은 매우 감동적이었소. 하지만 당신이 알리 파샤를 배반했다는 증거를 가진 증인이 있소. 그

행방불명(行方不明) : 간 곳이나 방향을 모름.

증인을 불러서 이야기를 듣는 데 동의합니까?"

"도대체 누가 증거를 가지고 있다는 겁니까? 얼마든지 데려와도 좋습니다."

모르세르 백작은 큰소리를 쳤다. 잠시 후 한 여자가 회의장으로 들어왔다. 바로 몬테크리스토 백작과 항상 함께 다니던 그리스 미녀 하이데였다.

"저는 자니나 총독 알리 파샤의 딸 하이데입니다. 저는 제 아버지를 죽게 한 모르세르 백작의 과거를 낱낱이 밝히기 위해 이 자리에 왔습니다."

하이데가 자신의 정체를 밝히자 여기저기서 웅성거리는 소리가 들렸다.

"여기 제 출생증명서가 있습니다. 그리고 아버지가 돌아가신 뒤 페르낭이 저와 어머니를 노예 상인에게 40만 프랑에 팔아넘긴 증서도 있습니다. 어머니는 곧바로 숨을 거두었고, 저는 노예 상인에게 끌려다니다가 몇 년 전 몬테크리스토 백작님이 비싼 값을 치르고 저를 구해 주신 덕분에 이렇게 이 자리에 설 수 있게 되었습니다. 그 사건

나는 알리 파샤의 딸입니다. 제 아버지를 죽게 한 사람은 저 모르세르 백작입니다.
알리 파샤의 딸이 어떻게 이곳에 와 있는 거지?
모르세르 백작이 그런 비열한 사람인 줄 미처 몰랐어!
저런 사람이 우리 귀족원이라니 이런 망신이 어디 있나?

이 일어나던 당시 저는 네 살이었지만 지금까지 그 일을 생생하게 기억합니다. 저의 아버지인 알리 파샤는 당시 프랑스에서 온 장교 페르낭 몬데고를 무척 신뢰하고 있었습니다. 하지만 그 사람은 몰래 터키 황제에게 돈을 받은 뒤 아버지를 속여 자니나 성을 터키 군에 넘기고 말았습니다. 그로 인해 아버지도 터키 군의 손에 그만 목숨을 잃었지요. 터키 황제는 자니나 성을 빼앗은 대가로 제 아버지의 재산을 프랑스 장교에게 모두 넘겨주었습니다. 프랑스 장교 페르낭은 그것으로도 모자라 저와 어머니를 노예 상인에게 팔았습니다. 그 비열한 프랑스 장교 페르낭 몬데고가 바로 저기 있는 모르세르 백작입니다."

페르낭이 그리스에
가 있을 무렵, 그리스는
터키에 대항하여 독립
전쟁을 벌이는 중이었어.

그것으로 모르세르 백작의 명예는 땅에 떨어졌고, 더 이상 파리에서 얼굴을 들고 다닐 수 없게 되었다. 의장은 모르세르 백작에게 반박할 말이 없는지 물었

지만 모르세르 백작은 한 마디도 하지 못했다.

"모르세르 백작의 파렴치한 반역 행위를 인정합니다."

의장의 선언에 모르세르 백작은 유령처럼 자리에서 일어나더니 비틀거리며 집으로 돌아갔다.

그날 오후에 기사를 읽은 알베르는 그 신문사의 기자이자 자신의 친구인 보샹을 찾아갔다.

"보샹, 자네가 쓴 기사를 당장 취소해 주게. 이런 거짓 기사로 내 아버지의 명예를 떨어뜨린 이유가 뭔가?"

흥분한 알베르에게 보샹이 낮은 목소리로 말했다.

"오늘 오전에 귀족원에서도 확인한 사실이네."

보샹은 귀족원에서 일어난 일을 이야기해 주며, 한 가지 사실을 덧붙여 말해 주었다.

"사실 이 사건을 캐내서 신문사에 제보提報한 사람은 당글라르 남작이라네."

화가 난 알베르는 당글라르 남작의 집을 찾아가서 당글

제보(提報) : 정보를 제공함.

라르에게 결투를 신청했다. 그러나 당글라르의 입에서는 뜻밖의 대답이 나왔다.

"진정하게. 물론 내가 조사를 했지만 그건 내가 생각해 낸 일이 아닐세. 나는 알리 파샤의 사건에 대해서는 전혀 몰랐거든. 그 사건에 대해 얘기해 준 사람은 바로 자네의 친구 몬테크리스토 백작일세."

큰 배신감背信感을 느낀 알베르는 몬테크리스토 백작을 찾아 오페라 극장으로 갔다. 백작이 그곳에서 오페라를 보고 있다고 들었기 때문이다. 알베르는 많은 사람이 보는 앞에서 백작에게 결투 신청을 했다.

"백작님, 나는 당신을 친구라고 생각했습니다. 하지만 당신이 이런 배신을 할 줄은 몰랐습니다. 당신에게 결투를 신청하겠습니다!"

"결투라고? 좋네."

그렇게 해서 알베르와 몬테크리스토 백작의 결투가 정

배신감(背信感) : 믿음이나 의리의 저버림을 당한 느낌.

해졌다. 그들은 다음 날 아침 증인이 보는 앞에서 권총으로 결투를 하기로 했다. 두 사람의 결투 소식은 파리 전역으로 순식간에 퍼져 나갔다. 집으로 돌아온 몬테크리스토 백작은 다음 날의 결투를 위해 권총을 꺼내 손질했다. 그때 몬테크리스토 백작의 집에 한 여인이 찾아왔다. 바로 모르세르 부인이었다.

"무슨 일이십니까, 부인?"

"에드몽, 제발 제 아들을 죽이지 말아 주세요."

모르세르 부인의 말에 백작은 깜짝 놀라 고개를 들었다.

"방금 저를 누구라고 부르신 겁니까, 모르세르 부인?"

"저는 아직도 당신 이름을 잊지 않고 있어요. 다른 사람들은 당신을 다 못 알아봐도 저만은 당신을 알아볼 수 있어요. 저는 여기에 모르세르 부인으로 온 것이 아니라 메르세데스로 찾아온 거예요."

메르세데스는
당테스를 매우 사랑했어.
그래서 수십 년이 지났어도
얼굴을 잊지 않았던 거야.

"메르세데스는 이미 죽었습니다. 저는 그런 사람은 모르니 어서 돌아가십시오."

"그렇다면 당신은 왜 그렇게 페르낭에게 복수를 하려는 거죠? 모든 잘못은 당신을 배신한 제게 있으니, 복수를 하려거든 차라리 제게 하세요."

"부인, 당신 탓이 아닙니다. 제가 왜 잡혀가게 되었는지 아십니까? 바로 당글라르가 나를 모함하는 편지를 쓰고 페르낭이 그 편지를 검사에게 보냈기 때문입니다."

몬테크리스토 백작은 이렇게 말하며 20만 프랑이라는 큰돈을 주고 시청에서 빼낸, 그 옛날의 고발장을 꺼내 메르세데스에게 보여 주었다. 편지를 읽은 메르세데스는 충격을 받아 그 자리에 털썩 주저앉고 말았다.

"이럴 수가! 믿기지 않아요."

"이 편지 때문에 나는 당신과 헤어져 14년이나 이프 성에 갇혀 있었고, 나의 아버지는 고통 속에서 죽어 갔습니다. 메르세데스, 분명히 말해 두지만 나는 무슨 일이 있어도 그들에게 복수해야만 합니다."

부인, 당글라르와
페르낭의 모함으로 나는
14년 동안이나 이프 성에
갇혀 있었습니다.
그럴 리가
없어요! 어떻게
그런 일이…….

"에드몽! 하지만 죄 없는 제 아들만은 살려 주세요."

메르세데스의 간곡한 부탁에 몬테크리스토 백작은 마음이 흔들렸다. 잠시 고개를 숙인 채 말이 없던 백작이 고민 끝에 대답했다.

"좋습니다. 아드님은 살려 드리지요."

"아! 고마워요, 에드몽!"

메르세데스는 감격해서 눈물을 흘리며 말했다. 그러자 몬테크리스토 백작이 쓸쓸하게 웃으며 말했다.

"당신은 지금 내게 죽으라고 말씀하셨다는 걸 아십니까? 사람들 앞에서 결투 신청을 받은 나로서는 당신 아들과 결투를 하지 않을 수가 없습니다. 그러니 내일 당신 아들이 피를 흘리지 않는다면 대신 내가 피를 흘리겠지요."

메르세데스는 자신이 무슨 짓을 했는지 그제야 깨닫고 휘청거리며 일어나 방을 걸어 나갔다. 그러다가 문 앞에서 걸음을 멈추고 슬픈 목소리로 말했다.

"에드몽, 아까 제 아들을 살려 주겠다고 말했지요? 이제는 하느님께 바랄 게 없어요. 예전처럼 훌륭한 당신을 다시 만날 수 있었으니까요. 안녕히 계세요. 그리고 고마워요."

복수만을 향해 달려온
몬테크리스토 백작이
왜 원수의 자식인 알베르를
용서해 주기로 했을까?

몬테크리스토 백작은 아무런 대답도 하지 않았다. 메르세데스가 돌아간 후 백작은 생각에 잠겼다.

'바보 같은 짓을 했어. 복수를 결심한 날 왜 내 심장을 뽑아 버리지 못했단 말인가! 그토록 오래 준비했던 계획이 이렇게 허무하게 끝나다니! 어쩌면 이게 하느님의 뜻인지도 모르지.'

다음 날 아침 8시 결투를 하기로 한 시간이 되자 몬테크리스토 백작은 증인인 막시밀리앙 모렐과 함께 결투 장소로 나갔다. 알베르 쪽 증인인 보샹은 먼저 와서 아직 도착하지 않은 알베르를 기다리고 있었다.

결투 시간이 10분이 지나서야 알베르가 말을 타고 급하게 달려왔다. 알베르의 얼굴은 창백했고 눈은 벌겋게 충혈되어 있었다. 알베르는 말에서 급히 내려 몬테크리스토 백작 앞으로 달려가 고개를 숙이며 말했다.

"백작님, 저는 제 아버지의 명예를 떨어뜨렸다는 이유로 백작님을 비난했습니다. 하지만 어제저녁 어머니에게 제 아버지가 한 일과 그로 인해 당신이 어떤 불행을 겪었는지 들었습니다. 백작님이 제 아버지에게 복수하고자 마음먹은 것은 당연한 일입니다. 제가 경솔하게 백작님에게 결투를 신청한 것을 용서해 주시기 바랍니다."

몬테크리스토 백작은 고개를 숙이고 사과를 하는 알베르의 손을 꼭 잡아 주며 말했다.

"이 모든 게 하느님의 뜻인 게 틀림없구나!"

알베르가 결투를 포기하고 몬테크리스토 백작에게 사과를 했다는 소문은 삽시간에 퍼졌다. 이제 알베르는 파리에서 비겁한 사람으로 낙인烙印이 찍히게 된 것이다.

알베르가 집으로 돌아오자 메르세데스가 짐을 싸고 있었다. 페르낭의 곁을 떠나기로 결심한 것이다. 알베르도

낙인(烙印) : 다시 씻기 어려운 불명예스럽고 욕된 판정이나 평판을 이르는 말.

어머니와 함께 집을 떠나기로 결심했다. 그때 몬테크리스토 백작으로부터 편지 한 통이 도착했다.

편지에는 옛날 당테스의 아버지가 살던 마르세유의 집 뒤뜰에 약간의 생활비를 묻어 놓았으니 그 집에 가서 지내라는 백작의 따뜻한 배려가 담겨 있었다.

한편 아들이 결투를 포기해 비겁자 취급을 받게 되었다는 소식을 들은 모르세르 백작은 몬테크리스토 백작의 집으로 달려왔다.

"백작! 내 아들을 비겁자로 만드셨다고요? 내가 아들 대신 당신에게 결투를 신청하겠습니다!"

"마침 잘됐군요. 결투를 하는 데 증인은 필요 없겠지요? 서로 잘 아는 사이니까요, 페르낭 씨."

몬테크리스토 백작의 말에 모르세르 백작이 소리쳤다.

"뭐? 너야말로 몬테크리스토 백작이라고 행세하지만 온갖 변장을 하고 다니면서 다른 이름을 사용한다는 걸 알고 있다! 내가 알고 싶은 건 네 본명이야. 내 칼로 네 심장을 찌를 때 그 이름을 불러 줄 테니!"

이 말에 백작의 얼굴은 무섭게 변했다. 그는 갑자기 방을 나가더니 선원들이 입는 옷으로 갈아입고 다시 나타났다. 그 모습을 본 모르세르 백작은 온몸을 부들부들 떨며 뒤로 물러섰다.

"페르낭! 나의 많은 이름들 가운데 너를 쓰러뜨릴 이름은 단 하나면 충분하다. 넌 그 이름이 뭔지 짐작하겠지? 아마 네가 내 약혼자 메르세데스와 결혼한 뒤 수없이 꿈에서 보아 온 얼굴일 테니까."

"너…… 너는…… 에드몽 당테스?"

모르세르 백작은 입을 다물지 못하고 벌벌 떨다가 후다닥 방을 뛰쳐나갔다. 잠시 후 자신의 집에 도착한 모르세르 백작은 메르세데스와 알베르가 짐을 싸서 먼 곳으로 떠나는 것을 보았다. 백작은 두 사람을 말리지 못했다. 그리고 얼마 지나지 않아 모르세르 백작의 침실에서 한 방의 총소리가 울려 퍼졌다.

페르낭, 내가 누군지
잘 봐라. 내 얼굴을
기억하느냐?
앗, 에드몽 당테스?
몬테크리스토 백작이
에드몽 당테스였다니
믿을 수가 없어!

8장

복수, 그리고 새로운 시작

한편 빌포르 검사의 집에서는 갑작스럽게 사람이 죽어 나가기 시작했다. 처음에는 빌포르 검사의 장인인 생메랑 후작이 죽었다. 그러더니 얼마 지나지 않아 생메랑 후작 부인이 발작을 일으키며 죽고 말았다. 얼마 뒤에는 집에서 일하는 늙은 하인인 바루아가 갑자기 숨을 거두었다. 그제야 빌포르 검사는 자신의 집에 무언가 이상한 일이 일어나고 있다는 사실을 깨달았다.

그런 와중에도 빌포르 검사는 몬테크리스토 백작의 집에서 일어난 카드루스 살인 사건을 조사하고 있었다. 그 사건은 범행 현장에서 발견된 쪽지 덕분에 쉽게 해결되었다. 범인으로 지목指目된 안드레아 카발칸티 공작은 곧 붙잡혔다. 재판은 며칠 뒤 열릴 예정이었고, 담당 검사는 빌포르 검사였다.

빌포르 검사가 안드레아 카발칸티, 아니 베네데토의 재판 준비에 한창이던 어느 날, 빌포르 검사의 큰딸인 발랑틴이 갑자기 쓰러지더니 시름시름 앓기 시작했다.

발랑틴은 빌포르 검사가 첫 번째 부인에게서 낳은 딸이었다. 빌포르 검사의 첫 번째 부인은 이미 세상을 떠났고, 지금의 부인은 두 번째 부인이었다. 빌포르 검사는 재혼한 두 번째 부인에게서 에두아르라는 아들 하나를 낳았다.

빌포르 검사는 발랑틴마저 쓰러지자 슬슬 불안해지기 시작했다. 그는 검사 특유의 날카로운 추리력으로 집안에

지목(指目) : 사람이나 사물이 어떠하다고 가리켜 정함.

있는 누군가가 독을 사용해 사람들을 죽이고 있다는 사실을 알아챘다. 그렇지만 딱히 의심이 가는 사람이 없어 이러지도 저러지도 못하고 있었다.

빌포르 검사는 자신의 부인이 독에 매우 관심이 많으며 실제로 독을 만들고 있다는 것은 전혀 눈치채지 못했다. 빌포르 부인은 집안 재산을 모두 자신의 아들에게 물려주기 위해 발랑틴의 외할아버지인 생메랑 후작과 후작 부인이 먹는 음료수에 독을 조금씩 타서 죽음에 이르게 했다. 그리고 이제는 발랑틴까지 노리고 있었던 것이다.

빌포르 부인이 독에 대해 관심을 가지고 여기저기 찾아다닐 때 그녀에게 독을 제조製造하는 법을 알려 준 사람이 바로 몬테크리스토 백작이었다. 몬테크리스토 백작은 빌포르 부인이 독약을 조만간 나쁜 곳에 사용할 것을 알고 일부러 접근하여 그 방법을 가르쳐 주었다.

발랑틴이 쓰러지자 모렐 선주의 아들은 막시밀리앙이

제조(製造) : 원료를 이용하여 정교한 제품을 만듦.

몬테크리스토 백작을 다급하게 찾아왔다.

"무슨 일인가, 막시밀리앙?"

"백작님, 도와주십시오. 빌포르 씨 댁의 발랑틴이 쓰러졌습니다. 이것은 분명 누군가가 독약을 사용하여 그녀를 죽이려는 것이 틀림없습니다."

몬테크리스토 백작은 영문을 모르겠다는 표정을 지으며 막시밀리앙에게 물었다.

"그런데 그게 자네와 무슨 상관이 있는가?"

"저는…… 발랑틴을 사랑하고 있습니다! 우리는 그동안 빌포르 집안의 반대 때문에 몰래 만나고 있었습니다."

몬테크리스토 백작은
막시밀리앙을 매우 아꼈기
때문에 차마 부탁을
거절할 순 없을 거야.

막시밀리앙의 말을 들은 몬테크리스토 백작이 얼굴을 일그러뜨리며 신음을 내뱉었다.

"정말 가엾군! 왜 하필 발랑틴이란 말인가? 그 저주받은 집안의 딸을 말이야."

"제발 도와주십시오. 백작님이라면 어떻게든 도와주실 수 있으리라고 생각했습니다."

발랑틴, 날 믿고
이 약을 마셔요. 당신을
이곳에서 구할 방법은
이것뿐이에요.
막시밀리앙이 백작님을
보냈다고요? 그렇다면
당신을 믿을 수 있어요.

잠시 고민을 하던 몬테크리스토 백작이 막시밀리앙에게 말했다.

"막시밀리앙, 알겠네. 희망을 가지고 조용히 집으로 돌아가 기다리고 있게."

며칠 뒤 빌포르 검사의 저택 옆집에 부소니 신부가 이사를 왔다. 그리고 다음 날 밤 발랑틴의 방 창문을 열고 몬테크리스토 백작이 소리 없이 들어왔다.

"아, 몬테크리스토 백작님!"

발랑틴이 힘겹게 몸을 일으키며 말했다.

"쉿! 발랑틴, 겁내지 마시오. 나는 막시밀리앙의 부탁을 받고 당신을 도와주러 왔소. 당신이 이렇게 아픈 건 모두 당신의 새어머니인 빌포르 부인 때문이오. 그 사람이 당신을 죽이려고 당신에게 독을 탄 음료수를 먹여 왔소."

"뭐라고요? 백작님, 어떻게 해야 하죠? 뭐든 시키는 대로 할 테니 말씀만 하세요. 저는 당신을 믿어요."

"그렇다면 내가 지금 주는 이 약을 먹으시오. 이 약을 먹으면 당신은 죽은 사람처럼 되겠지만 곧 깨어날 거요.

절대로 무서워하지 말고, 부디 나를 믿어 주길 바라오."

발랑틴은 백작이 주는 알약을 입에 넣고 꿀꺽 삼켰다. 백작은 고개를 끄덕이며 어디론가 자취를 감췄다.

다음 날 아침 빌포르 검사의 집은 발칵 뒤집혔다. 발랑틴이 차디찬 시체로 발견된 것이다. 딸을 잃고 큰 슬픔에 잠긴 빌포르 검사는 독살 사건의 범인이 누구인지 꼭 찾아내겠다고 별렀다.

죽은 발랑틴을 위한 장례는 옆집에 살게 된 부소니 신부가 맡게 되었다. 부소니 신부는 기도에 방해妨害가 된다며 장례식 때까지 발랑틴의 방에는 아무도 들어오지 못하게 했다. 다음 날 아침 발랑틴의 장례식이 치러졌다.

발랑틴의 장례식이 끝나자 막시밀리앙은 절망에 빠져 목숨을 끊으려고 했다. 그것을 눈치챈 몬테크리스토 백작은 급히 막시밀리앙을 찾아가 말했다.

"막시밀리앙, 유서를 쓰고 자살이라도 하려고 했나?

방해(妨害) : 남의 일을 간섭하고 막아 해를 끼침.

아무리 죽고 싶어도 지금은 안 되네!"

"백작님, 당신은 제게 발랑틴을 살릴 수 있다며 희망을 가지라고 말했습니다. 그러나 결국 그녀는 죽고 말았어요. 더 이상 나는 살 의미가 없어요."

"막시밀리앙, 나는 자네가 오늘 죽어서는 안 된다고 말할 수 있는 유일한 사람이라고 생각하네. 왜냐하면 그 옛날 자네 아버지에게 빨간 지갑과 파라옹호를 돌려준 사람이 바로 나이고, 어린아이였던 자네를 무릎 위에 올려놓고 놀아 주던 에드몽 당테스가 바로 나이기 때문이지."

막시밀리앙은 몬테크리스토 백작의 말에 놀라기도 하고 감격하기도 하여 숨조차 제대로 쉴 수가 없었다.

"막시밀리앙, 나도 언젠가 자네처럼 절망에 빠져 자살하려던 때가 있었네. 하지만 어떤 극한 상황에 몰려 있을지라도 '살아 있으라! 언젠가는 당신들이 행복에 겨워 인생을 축복할 날이 오리라!'라는 말을 기억하게. 그러니

한 달만 나를 믿고 희망을 가져 보게. 한 달 뒤에도 내가 자네를 회복回復시켜 주지 못한다면 그때는 자네가 자살을 하더라도 말리지 않겠네."

막시밀리앙은 백작이 시키는 대로 하기로 했다.

한편 경찰에 붙잡힌 베네데토는 재판을 기다리며 감옥에 갇혀 있었다. 어느 날 베네데토에게 한 사람이 면회를 왔다. 그는 어릴 적 베네데토를 키워 주었던 베르투치오였다. 몬테크리스토 백작의 심부름으로 찾아온 베르투치오는 베네데토에게 무언가 중요한 이야기를 해 주었다.

드디어 재판 날이 되었다. 그날 아침 빌포르 검사는 법원으로 가기 위해 준비물을 챙긴 뒤 아내가 있는 방문을 열고 차가운 목소리로 말했다.

"당신이 늘 쓰는 독약은 어디에 두었지? 장인어른과 장모님, 바루아 그리고 발랑틴을 죽인 독약 말이야."

빌포르 부인은 화들짝 놀라 되물었다.

회복(回復) : 원래의 상태로 돌이키거나 원래의 상태를 되찾음.

"여보, 무슨 말인지……."

그러나 빌포르 검사는 눈 한번 꿈쩍하지 않고 말했다.

"나는 당신이 그 모든 일을 저질렀다는 것을 다 알고 있어. 보통의 경우라면 누가 됐든 단두대로 보내 사형을 시켰을 거야. 하지만 난 당신 때문에 내 자신이 불명예스러워지는 걸 원치 않아. 당신이 스스로를 위한 독약 정도는 남겨 두었을 것이라고 믿어."

단두대란 과거에
서양에서 죄인을 사형시킬
때 사용하던 무서운
형틀이란다.

"당신…… 무슨 말이에요? 나더러 스스로 죽으라는 말인가요? 용서해 줘요! 나는 당신의 아내잖아요. 난 그저 에두아르를 위해서……."

"잘 생각하길 바라. 만약 내가 돌아올 때까지 정의가 이루어지지 않았다면 나는 당신을 내 손으로 체포해 법원에 넘길 거야. 내 말 알아들었겠지? 그럼 안녕히."

빌포르 부인은 남편의 말에 바닥에 푹 쓰러지고 말았다. 빌포르 검사는 그길로 방을 나가 법원으로 향했다.

빌포르 검사가 법원에 도착하고 나서 잠시 뒤 베네데토의 재판이 시작되었다. 판사가 재판의 시작을 알리자 빌포르 검사가 미리 작성한 기소장을 읽었다. 베네데토가 살아온 인생과 죄에 대해 신랄하게 비판하는 내용이었다. 검사의 기소起訴가 끝나자 판사가 베네데토에게 물었다.

"피고는 이름이 뭔가?"

그러자 베네데토의 입에서 의외의 말이 튀어나왔다.

"사실 저는 제 이름을 모릅니다. 저는 1817년 9월 27일과 28일 사이에 파리 근교의 오퇴유 별장에서 태어났습니다. 하지만 저는 진짜 제 이름을 모릅니다. 제 아버지라는 사람이 제가 태어나자마자 상자에 넣어 산 채로 땅에 묻었기 때문입니다. 하지만 천만다행히도 또 다른 한 남자가 저를 구해 내어 키워 주었습니다. 이 이야기는 모두 그분에게 들은 것입니다. 그러니 제 이름을 알고 싶으시면 제 아버지라는 사람에게 물어보십시오."

기소(起訴) : 검사가 특정한 형사 사건에 대하여 법원에 심판을 요구하는 일.

이, 이럴 수가! 그 아이가 베네데토란 말인가? 아, 난 이제 끝장이다!
왜 저렇게 얼굴이 새파랗게 변한 거지?
저는 제 진짜 이름을 모르니, 정 알고 싶다면 제 아버지라는 사람에게 물어보십시오.
태어나자마자 아버지가 자네를 땅속에 묻어 버렸다고?

베네데토의 말에 법원 안에 모인 사람들은 모두 깜짝 놀랐다. 그리고 빌포르 검사는 공포에 질려 얼굴을 감싸 쥐었다. 판사가 다시 물었다.

"그렇다면 피고의 아버지가 누구인가?"

"제 아버지는 바로 저기 있는 빌포르 검사입니다."

재판을 구경하던 사람들 사이에서 비명이 터져 나왔다. 그 사람들 중 한 여자는 기절을 해서 밖으로 실려 나갔다. 그녀는 바로 당글라르 부인이었다. 베네데토의 갑작스러운 말에 판사가 언짢은 듯 말했다.

빌포르 검사는 자신이 얼마나 끔찍한 짓을 저질렀는지 이제야 깨닫게 됐어.

"피고는 신성한 법정에서 거짓말을 하는 건가? 증거라도 있나?"

"증거요? 저 빌포르 검사의 얼굴을 보십시오. 저 얼굴이 바로 증거입니다."

베네데토의 말에 판사는 빌포르 검사를 돌아보았다. 빌포르 검사는 반쯤 미친 사람처럼 넋을 빼 놓고 있었다. 빌포르 검사가 무겁게 입을 열었다.

"저 청년의 말은 모두 사실입니다. 증거 같은 건 필요 없습니다. 죄를 모두 인정합니다. 그럼 저는 집으로 돌아가서 제 후임 검사의 처분處分만을 기다리겠습니다."

빌포르 검사는 이렇게 말하고는 비틀비틀 법원을 걸어 나와 집으로 향했다. 빌포르 검사는 집으로 돌아오며 아침에 자신이 아내에게 했던 말을 떠올렸다.

'아, 이럴 수가! 나 자신이 용서받을 수 없는 죄인이면서 아내에게 참회하고 죽으라고 말하다니! 아직 죽지 않았어야 하는데…….'

빌포르 검사는 걸음을 재촉해 서둘러 집으로 돌아왔다. 그러나 빌포르 검사를 기다리는 건 싸늘하게 죽어 있는 아내와 아들 에두아르였다. 그 옆에는 비어 있는 약병이 뒹굴고 있었다. 빌포르 검사는 자기의 가슴을 쥐어뜯으며 신음을 내뱉었다.

"천벌을 받은 거야, 천벌을……."

처분(處分) : 일정한 대상을 어떻게 처리할 것인가에 대하여 지시하거나 결정함.

아, 이런!
부인과 아들까지
독약을 먹고 죽었구나.
내 복수가 너무
지나쳤어.
아, 내가 천벌을
받은 거야, 천벌을!

빌포르 검사는 비틀거리며 방을 나오다가 문밖에서 부소니 신부를 만났다.

"부소니 신부님, 당신은 죽음의 사신 같군요. 발랑틴이 죽었을 때도 오더니 오늘도 이렇게 찾아오다니……."

"빌포르 검사님, 오늘은 당신이 제게 진 빚을 충분히 갚았다는 말씀을 드리러 왔습니다."

그러면서 부소니 신부는 쓰고 있던 가발을 벗었다.

"아니! 당신은 몬테크리스토 백작이 아닙니까?"

"검사님, 틀렸습니다. 좀 더 옛날을 생각해 보십시오. 지금으로부터 23년 전 당신은 나를 이프 성에 집어넣었을 뿐만 아니라 내 아버지를 굶어 죽게 했습니다."

"아! 너는…… 에드몽 당테스? 그래, 모든 게 너의 복수였구나. 그렇다면 이리 와서 네가 한 짓을 봐라!"

몬테크리스토 백작은 빌포르 검사의 뒤를 따라 빌포르 부인과 아들이 독약을 먹고 죽어 있는 방으로 갔다. 백작은 어린 에두아르의 시체를 보고 흠칫 놀랐다.

'이런! 죄 없는 어린아이까지 죽게 하다니…….'

몬테크리스토 백작은 에두아르를 일으켜 살려 보려고 노력했지만 이미 때가 늦었다는 걸 알 수 있었다. 그 사이 빌포르 검사가 정원으로 미친 사람처럼 뛰어나갔다. 몬테크리스토 백작이 정원으로 나오자 빌포르 검사는 삽을 들고 정신없이 땅을 파고 있었다.

"여기도 아냐! 여기도 아냐!"

빌포르 검사는 결국 정신이 나가 버리고 만 것이다.

한편 당글라르의 은행은 사업이 기울면서 돈이 바닥을 드러냈다. 당글라르는 회사의 위기를 벗어나기 위해 자신의 딸과 안드레아 카발칸티 공작의 결혼을 추진推進했다. 하지만 안드레아의 정체가 드러나자 그와 결혼하려고 했던 외제니는 외국으로 떠나 버리고 당글라르의 계획도 수포로 돌아갔다. 당글라르는 돈도, 명예도, 딸도 모두 잃어버린 것이다.

그러나 당글라르가 가장 소중하게 여기는 것은 돈이었

추진(推進) : 목표를 향하여 밀고 나아감.

다. 은행이 파산할 지경에 이르자 당글라르는 자기만 살겠다고 이탈리아로 달아나 버렸다.

당글라르가 이탈리아로 달아난 데는 이유가 있었다. 당글라르의 은행에서 몬테크리스토 백작에게 500만 프랑을 빌려 주었는데, 그 돈을 이탈리아에 있는 톰슨 앤 프렌치 상사에서 받기로 되어 있었기 때문이다. 당글라르는 몬테크리스토 백작에게 받은 500만 프랑짜리 증서를 가지고 이탈리아 로마의 톰슨 앤 프렌치 상사로 찾아가서 어음으로 바꾸었다.

어음이란 일정한
금액을 일정한 날짜와
장소에서 치를 것을
약속한 증권이란다.

그런데 당글라르가 톰슨 앤 프렌치 상사에서 나와 마차를 타고 로마 시내를 벗어나자마자 말을 탄 산적들이 쫓아왔다. 돈을 받아 멀리 달아날 생각이던 당글라르는 꼼짝없이 납치를 당했고, 깊은 산속에 있는 동굴에 갇히는 신세가 되고 말았다.

'이 산적들이 노리는 것은 몸값이겠지? 한 5만 프랑쯤

원하려나? 하지만 내게는 500만 프랑짜리 어음이 있으니 전혀 걱정할 게 없어.'

당글라르는 이렇게 계산을 하고 동굴 속 감옥에서 편안하게 잠이 들었다. 그러나 다음 날이 되어도 산적들은 몸값을 요구하거나 몸을 뒤져 어음을 가져갈 생각이 없어 보였다. 그냥 당글라르를 동굴 감옥에 가두어 둔 채 내버려 둘 뿐이었다. 그렇게 하루가 지나자 당글라르는 배가 고파 죽을 지경에 이르렀다.

"나 좀 보시오! 제발 먹을 것 좀 주시오."

그러자 산적들은 굉장히 친절한 표정으로 대답했다.

"뭐든지 주문만 하십시오. 먹고 싶은 게 있다면 뭐든 가져다줄 테니! 하지만 돈을 내야 합니다."

"돈을 내겠으니 닭이든 뭐든 빨리 좀 갖다 주시오."

"알겠습니다. 여기 닭 한 마리 대령입니다!"

산적들은 닭 요리를 쟁반에 담아 왔다. 당글라르는 침을 삼키며 포크를 들었다. 그때 산적 한 사람이 실실 웃으며 말했다.

"여기는 선불先拂입니다. 10만 프랑을 먼저 내십시오."

"뭐라고요? 닭 한 마리에 10만 프랑이라고? 지금 농담하시오? 누굴 바보로 아나? 차라리 안 먹고 말겠소!"

"그렇습니까? 그렇다면 할 수 없지요. 이봐, 닭 요리를 다시 가져가!"

산적들은 당글라르 앞에 놓였던 닭 요리를 낚아채서 다시 들고 가 버렸다. 당글라르는 너무 배가 고파 견딜 수가 없었다. 다음 날 아침 당글라르는 다시 산적을 불렀다.

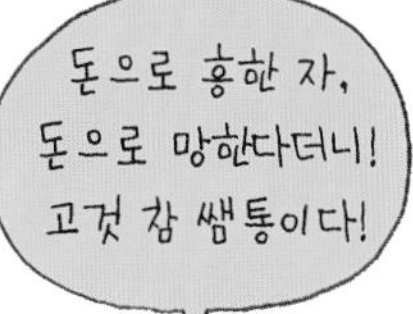

"그럼 빵 한 쪽만 주시오. 닭이 그렇게 비싸다면 나는 빵을 먹겠소."

"그렇습니까? 여기 빵을 가져다 드려라!"

산적들이 빵을 가져오자 당글라르가 물었다.

"이건 얼마요?"

"역시 10만 프랑입니다. 여기서는 모든 음식

선불(先拂) : 일이 끝나기 전이나 물건을 받기 전에 미리 돈을 치름.

값이 정해져 있습니다."

당글라르는 어쩔 수 없이 10만 프랑을 주고 닭 요리를 달라고 했다. 그러나 다음 날은 당글라르가 목이 말라 포도주를 한 잔 달라고 하자 산적들은 2만 5000프랑을 요구했다. 견디다 못한 당글라르는 산적 두목을 만나게 해 달라고 했다. 잠시 후 두목인 루이지 밤파가 나타났다.

"저를 부르셨습니까?"

"내 몸값으로 얼마를 원하는 거요?"

"지금 가지고 계신 500만 프랑만 내십시오."

"이건 내가 가진 전 재산이오. 차라리 나를 죽이시오!"

당글라르의 말에 루이지 밤파가 웃으며 말했다.

"그건 불가능합니다. 우리가 모시는 분께서 명령하시기를 당신 몸에는 손끝 하나 대지 말라고 하셨습니다."

"대장이 따로 있다는 거로군. 100만 프랑이면 안 되겠소? 아니면 200만 프랑은 어떻소? 정 원한다면 400만 프랑까지는 줄 수 있소. 어떻소?"

"은행가라서 그런지 자꾸 거래를 하려는 습관이 있군

닭 요리 하나를
10만 프랑에
사 먹게 되다니!
먹고살아야 하니
어쩔 수 없지요?
저렇게 가면
며칠 만에 빈털터리가
되겠는걸!
크크크,
정말 쌤통이다!

요. 그럼 저는 이만 실례하겠습니다."

루이지 밤파는 그대로 등을 돌리고 가 버렸다. 당글라르로서는 그곳에 갇힌 채로 버틸 수밖에 없었다. 그러다가 견딜 수 없이 배가 고파지면 돈을 내고 음식을 사 먹었다. 그렇게 하루하루가 지나자 수중에 5만 프랑밖에 남지 않았다. 당글라르는 또다시 두목을 불러 달라고 요청했다. 루이지 밤파가 다시 와서 얼굴을 내밀었다.

"나에게 남은 건 이제 5만 프랑밖에 없소. 모두 드릴 테니 제발 나를 살려 주시오. 정말 괴로워 죽을 지경이오."

그 말에 루이지 밤파가 비웃듯 말했다.

"정말 괴로운가 보군요. 하지만 이 세상에는 당신보다 더한 고통을 당한 사람들이 있습니다."

"내가 다 잘못했소. 이제껏 저지른 모든 죄를 후회後悔하고 있소. 그러니 제발 나를 용서해 주시오!"

당글라르가 애절하게 소리치자 루이지 밤파의 등 뒤에

후회(後悔) : 이전의 잘못을 깨치고 뉘우침.

서 있던 사나이가 앞으로 걸어 나오며 말했다.

"당글라르 씨, 당신이 죄를 진심으로 뉘우치는 것 같으니 이제 용서해 주겠소."

당글라르는 고개를 들어 그의 얼굴을 보았다.

"몬테크리스토 백작?"

"당글라르 씨, 나는 몬테크리스토 백작이 아니오. 나는 당신 때문에 신세를 망친 사람이지. 당신은 내 아버지를 굶어 죽게 했소. 그래서 나 역시 당신을 굶겨 죽이려고 했지만 당신을 용서해 주기로 했소. 왜냐하면 나 역시 신에게 용서를 받아야 할 사람이기 때문이오. 내가 누군지 궁금하오? 나는 바로 에드몽 당테스요!"

당테스가 왜 마지막에
당글라르를 용서했는지
궁금해.

당글라르는 당테스를 알아보고는 외마디 소리를 지르며 그대로 땅바닥에 엎드려 버렸다. 몬테크리스토 백작은 그런 당글라르를 불쌍하게 바라보며 이어서 말했다.

"일어나시오, 당신은 이제 살았소. 당신과

아니, 내 머리가
백발이 되었잖아?
동굴에서 마음고생을
너무 심하게 했나?
가장 좋아하는 돈을
빼앗길까 봐 마음고생이
정말 심했나 봐.

함께 죄를 범했던 두 사람은 운이 좋지 않았소. 한 명은 미치고, 또 한 명은 스스로 목숨을 끊었으니까. 루이지 밤파! 이 사람을 이제 석방시켜 주게."

백작이 떠난 후 그날 저녁 당글라르는 음식을 실컷 먹은 뒤 마차에 실려 어딘가에 내려졌다. 다음 날 아침 당글라르는 물을 마시려고 시냇가에 가서 몸을 구부리다가 물에 비친 자신의 모습을 보고 깜짝 놀랐다. 며칠 사이에 자신의 머리카락이 하얗게 세어 버렸기 때문이다.

이탈리아에서 돌아온 몬테크리스토 백작은 막시밀리앙과 함께 여행을 떠났다. 그리고 드디어 발랑틴이 죽은 지 꼭 한 달이 되는 10월 5일이 되었다. 백작은 막시밀리앙을 몬테크리스토 섬으로 데려가 아름다운 경치를 보여 주고, 1억 프랑에 가까운 재산을 모두 물려주겠다고 했다. 그러나 그 무엇도 막시밀리앙의 마음을 돌리지는 못했다.

결국 몬테크리스토 백작이 약속했던 밤 9시가 되었다. 백작은 막시밀리앙을 데리고 몬테크리스토 섬에 있는 한 동굴로 들어갔다. 그곳을 통해 들어가자 몬테크리스토 백작의 비밀 저택이 나왔다. 저택에 들어서자 백작이 막시밀리앙에게 약병 하나를 건네주었다.

"죽음의 약물이네. 이걸 마시면 편해질 거야."

막시밀리앙은 약병에 든 약물을 조금도 주저하지 않고 마셨다. 그러자 잠시 뒤 온몸에서 힘이 빠져나갔다.

"백작님, 이젠 죽는가 봅니다. 감사합니다."

막시밀리앙은 그대로 정신을 잃었다.

한참의 시간이 흐른 뒤 막시밀리앙이 다시 눈을 뜬 것은 저택에 있는 한 침대 위였다.

"내가 아직 살아 있다니! 백작님이 나를 속였어."

막시밀리앙은 곧바로 탁자 위에 놓여 있는 칼을 향해 손을 뻗었다. 그때 뒤쪽에서 웬 여자 목소리가 들렸다.

"막시밀리앙, 정신 차려요. 그리고 이쪽을 보세요."

"발랑틴!"

죽은 줄로만 알았던 발랑틴이 막시밀리앙을 보고 웃고 있었다. 한 달 전 몬테크리스토 백작은 발랑틴이 죽은 것처럼 장례를 지낸 뒤, 아무도 모르게 몬테크리스토 섬의 저택에 발랑틴을 데려다 놓았다. 모든 이야기를 발랑틴에게서 전해 들은 막시밀리앙은 몬테크리스토 백작에게 인사를 하기 위해 백작을 찾아 밖으로 나왔다. 그러자 발랑틴이 따라와 백작이 남긴 편지를 보여 주었다.

친애하는 막시밀리앙!

두 사람을 리보르노까지 데려다 줄 돛단배 한 척을 마련해 놓았네. 이 동굴 안의 모든 것과 파리의 저택은 모두 에드몽 당테스가 모렐 선주의 아들인 자네에게 결혼 선물로 주는 것이니 받아 줬으면 좋겠네.

막시밀리앙, 이 세상에는 행복도 불행도 없네. 다만 가장 큰 불행을 경험한 자만이 가장 큰 행복을 느낄 수 있지. 두 사람은 부디 살아서 행복해지길 바라네. 그리고 신이 인간에게 미래를 밝혀 주실 그날까지 인간의 모든 지혜는 오직 두 마디 속에 있다는 것을 잊지 말게. 기다려라! 그리고 희망을 가져라!

당신의 친구 에드몽 당테스, 몬테크리스토 백작

몬테크리스토 백작님을 다시 만날 날이 있을까요?
백작님이 말했잖아요. '기다려라! 그리고 희망을 가져라!' 기다리다 보면 언젠가는 만나게 되겠죠.

"백작님은 어디 계시죠?"

막시밀리앙의 질문에 발랑틴은 웃으며 손가락으로 멀리 수평선을 가리켰다.

"백작님은 하이데 아가씨와 멀리 떠나셨어요."

막시밀리앙은 바다 멀리 수평선 너머로 사라져 가는 배 한 척을 바라보았다. 백작이 탄 배는 순풍順風을 받으며 어딘가를 향해 가고 있었다.

"아, 떠나 버렸구나! 안녕히 가세요, 나의 친구이자 아버지여!"

막시밀리앙이 아쉬운 듯 한숨을 내쉬며 말했다.

"다시 만날 날이 올까요?"

그러자 곁에 있던 발랑틴이 말했다.

"막시밀리앙, 백작님이 그러셨잖아요. 기다려라! 그리고 희망을 가져라!"

순풍(順風) : 배가 가는 쪽으로 부는 바람.

PART 3

깊어지는 눈

이야기가 재미있었니?
손에서 놓을 수가 없을 정도였다고?
그럼 이제 더 깊이 생각해 볼 시간이야.

깊어지는 논술

작품 소개

몬테크리스토 백작 (Le Comte de Monte-Cristo)

〈몬테크리스토 백작〉은 1844년 8월부터 1846년 1월까지 프랑스의 신문 《논단》에 연재되었던 작품이에요. 연재가 끝난 후 18권으로 출판된 이 작품은 당시 엄청난 인기를 끌었어요. 화려한 상상력과 흥미진진한 추리 과정 등이 사람들을 매료시킨 것이지요.

뒤마는 실제로 친구의 배신 때문에 스파이라는 누명을 쓰고 감옥에 갇힌 피코라는 청년의 이야기를 소재로 하여 이 작품을 썼다고 해요. 이런 흥미로운 소재 덕분에 〈몬테크리스토 백작〉은 전 세계 언어로 번역되었고, 연극, 텔레비전 드라마, 영화, 만화 등으로도 만들어졌어요.

◀ 서재에서 글을 쓰고 있는 뒤마의 모습이에요. 뒤마는 〈몬테크리스토 백작〉으로 큰 명성을 얻었답니다.

작가 소개

알렉상드르 뒤마 (Alexandre Dumas, 1802~1870)

알렉상드르 뒤마는 1802년 7월 24일 프랑스의 한 작은 마을에서 태어났어요. 그러나 귀족의 사생아로 태어난 뒤마는 매우 불우한 어린 시절을 보냈어요. 성인이 된 뒤마는 파리 오를레앙 공작가에서 서류 작성하는 일을 하다가 연극계로 뛰어들어 희곡을 쓰는 일을 했어요. 1829년 〈앙리 3세와 그의 궁정〉이 성공을 거둔 뒤로 뒤마는 희곡 작가로 큰 주목을 받았고, 때마침 창간된 잡지에 글을 연재하면서 본격적으로 소설을 쓰기 시작했지요. 대표 작품으로는 〈삼총사〉, 〈몬테크리스토 백작〉 등이 있어요.

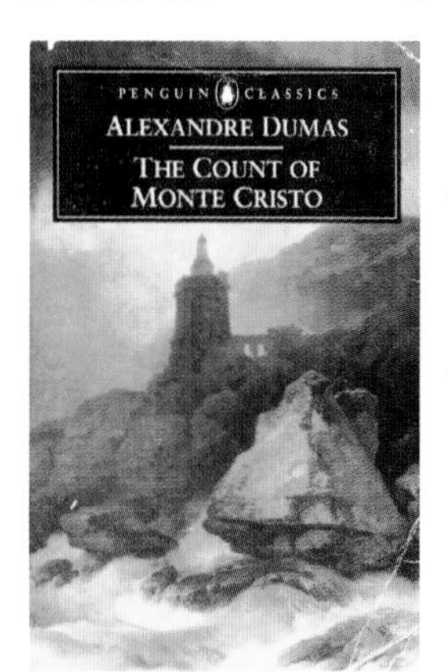

▲ 뒤마의 〈몬테크리스토 백작〉은 당시 최고의 인기 소설이었어요.

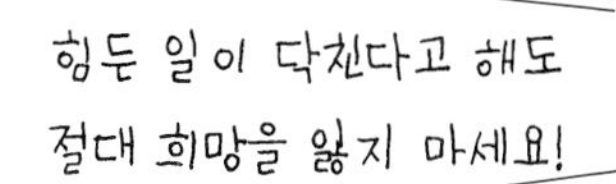

힘든 일이 닥친다고 해도
절대 희망을 잃지 마세요!

생각의 날개를 펼쳐요!

절망을 이겨 내고 살아야 하는 이유

〈몬테크리스토 백작〉은 주인공인 에드몽 당테스의 복수를 다루고 있는 작품이에요. 에드몽 당테스는 가장 행복한 순간에 가장 큰 불행을 경험하게 되었어요. 결혼식 날 억울한 누명을 쓰고 이프 성의 지하 감옥에 갇히고 만 것이지요.

당테스가 어떤 심정이었을지 상상해 보고, 당테스의 삶을 통해 우리가 배울 점이 무엇인지도 생각해 보세요.

영문도 모르고 감옥에 갇힌 에드몽 당테스는 캄캄한 지하 감옥에서 어떤 희망도 발견할 수 없었어요. 그래서 음식을 먹지 않고 굶어 죽으려고 작정했지요. 하지만 감옥에서 파리아 신부를 만난 당테스는 곧 삶의 희망을 가지게 되고, 탈출에 성공하여 자유의 몸이 됩니다.

당테스가 절망하여 그대로 삶을 포기해 버렸다면 어떻게 됐을까요? 아마도 음모를 꾸며 자신을 감옥에 넣은 사람들에게 복수를 할 수도 없었을 테고, 신이 허락한 새로운 삶을 살지도 못했을 거예요. 그래서 어떤 순간에도 삶을 포기하지 않고 희망을 가져야 하는 거예요.

이 작품 속에서 당테스를 모함한 사람들은 더 떵떵거리며 살고, 좋은 일을 하던 모렐 씨는 불행에 빠졌어요. 세상에 이런 일이 있을 수 있나요? 하지만 세상에는 실제로 이런 일들이 많이 일어난답니다. 하지만 몬테크리스토 백작은 자신을 불행에 빠뜨린 사람들의 성공이 모래 위에 지은 집처럼 금방 무너질 것이라는 사실을 잘 알고 있었어요.

페르낭은 당테스를 거짓 고발한 것도 모자라 전쟁 중에 자신이 모시던 그리스 총독을 배신하고 크게 출세를 했어요. 돈 욕심이 많은 당글라르는 페르낭과 함께 당테스를 거짓 고발한 뒤 은행가로 크게 성공하지요. 빌포르 검사도 당테스를 감옥에 보낸 뒤 파리에서 더욱 이름난 검사가 되었답니다. 이들은 몬테크리스토 백작이 찾아가기 전까지 자신들이 모래 위에 위태위태한 집을 짓고 있었다는 사실을 깨닫지 못했어요. 그리하여 자신들이 숨기고 있던 또 다른 죄가 드러남으로 인해 결국 파멸에 이르고 말았지요. 정직하지 못한 방법으로 얻은 것은 이처럼 살짝만 만져도 와르르 무너져 내린답니다.

몬테크리스토 백작은 원한과 복수심으로 똘똘 뭉친 사람이었어요. 하지만 몬테크리스토 백작은 복수가 시작되고, 그 복수로 인해 빌포르의 어린 아들인 에두아르의 죽음 같은 또 다른 비극이 일어나는 것을 보고 매우 혼란스러워했어요. 여러분은 몬테크리스토 백작의 복수가 당연하다고 생각하나요? 복수를 다 마친 몬테크리스토 백작이 과연 행복했을까요? 만약 여러분이 에드몽 당테스라면 감옥에서 나와 어떤 삶을 살았을지 생각해 보세요.

몬테크리스토 백작은 복수에 이끌려 살아온 지난날을 돌이켜 생각해 보고 회한에 사로잡혔어요. 그리고 막시밀리앙과 발랑틴을 보고, 복수심을 이기는 희망의 빛을 발견했지요. 절망 속에서도 삶을 마감하지 않고 기다리게 한 신의 뜻을 깨닫게 된 거예요. 여러분은 이 이야기를 읽고 어떤 교훈을 얻었나요? 선한 행동과 악한 행동은 그에 맞는 보답을 받는다는 교훈을 얻었나요? 거기서 더 나아가 여러분도 에드몽 당테스처럼 어떤 순간에도 절망하지 않고, 그런 순간까지도 더 깊은 깨달음을 주려는 신의 선물임을 잊지 마세요.

눈에 보이는
부, 명예, 성공보다
더 값진 것을 찾아
살아가길 바라.

그래. 힘겨운 일을
만나더라도 좌절하지 말자.
꿋꿋하게 이겨 내면 활짝
웃을 날이 올 거야.

PART 4

논술워크북

논술 문제를 풀면서
우리는 어떤 가치관을 가지고
살아가고 있는지 점검해 볼까?

논술 워크북

논술 1단계 | 꼭 알고 넘어가요

1-1 당테스는 어떻게 감옥에서 탈출했나요?

1-2 몬테크리스토 백작이 자신의 정체를 감추고 다닌 까닭은 무엇인가요?

본문의 내용을 처음부터 끝까지 잘 읽어 보세요.

2 몬테크리스토 백작은 복수를 할 때 단번에 응징하는 대신, 시간을 들여서 천천히 치밀하게 행동했습니다. 왜 이러한 복수 방법을 택했을지 생각해 보세요.

HINT

몬테크리스토 백작이 어떤 고통을 겪었는지 생각해 보세요.

3 이 작품에서 보물은 몬테크리스토 섬의 깊은 동굴에 감춰져 있었어요. 만약 여러분이 보물을 어딘가에 감추려고 한다면 어떤 곳에 감출지 생각해 보세요.

HINT

어디에 감추어야 다른 사람에게 발각될 염려 없이 안전할까요?

4 여러분은 '몬테크리스토 백작의 복수는 정당하다.'는 의견에 대해 어떻게 생각하나요? 여러분의 입장에 따라서 옹호하거나 반대하는 논증을 만들어 보세요.

- **나의 주장**

- **주장에 대한 근거**

HINT

어떤 입장을 택하든 주장을 뒷받침하는 적절한 근거를 제시해 주세요.

5 다음은 〈몬테크리스토 백작〉에서 당테스와 파리아 신부가 처음 만나는 단락입니다. 이 단락에 나타나는 두 사람의 차이점을 설명하고, 이와 관련하여 삶에서 '희망'이 왜 중요한지 논술해 보세요.

아무 죄도 없이 감옥에 갇혀 있다고 생각하니 괴로워서 참을 수가 없었다. 분노를 터뜨리고 절망하기를 반복하던 당테스는 결국 죽기로 결심했다. 그날부터 당테스는 간수가 가져다주는 음식을 집어던지고 굶기 시작했다. 하루, 이틀, 사흘……. 오랫동안 아무것도 먹지 않아 뼈가 앙상해진 당테스는 자신에게서 생명의 빛이 점점 꺼져 가는 것을 느꼈다. 그러던 어느 날 벽에 힘겹게 몸을 기대고 있는데 벽 쪽에서 이상한 소리가 들려오기 시작했다.

…〈중략〉…

당테스가 짚고 있던 땅바닥이 무너지는가 싶더니, 무너진 흙더미 사이로 작은 구멍이 생겼다. 그 구멍으로 사람 머리가 불쑥 올라왔다. 하얀 백발에다 체구가 작은 노인이었다. 그러나 눈만은 사람의 마음을 꿰뚫어 보는 듯 날카롭게 빛나고 있었다.

"나는 이탈리아 사람이고, 파리아 신부일세. 1811년부터 이곳에 갇혀 지냈지. 나는 이탈리아를 통일하기 위해 일했지만 결국 왕관을 쓴 멍텅구리에게 배반을 당하는 바람에 이렇게 갇힌 신세가 되고 말았어."

…〈중략〉…

"탈출은 이제 틀렸어. 하느님의 뜻이 아니었나 봐."

"하지만 신부님의 방에서 다시 한 번 바다 쪽으로 굴을 팔 수도 있잖습니까?"

"그건 불가능해. 연장을 만들고 구멍을 파는 데만 꼬박 7년이 걸렸네. 7년을 또 매달리기에는 난 너무 늙었어."

"저와 힘을 합치면 시간이 단축될 수도 있잖아요."

"성급하게 생각하지 말게. 기다리다 보면 더 좋은 기회가 생길 걸세."

하지만 당테스는 고개를 흔들며 말했다.

"아무것도 하지 않고 기다리기만 하란 말입니까?"

"왜 아무것도 하지 않을 거라고 생각하지? 감옥에서도 할 일은 많네. 나는 이곳에서 책도 쓰고 공부도 하고 있네. 내 방을 보여 줄 테니 따라오게."

– 제3장 –

HINT

제시문을 읽고 당테스와 파리아 신부가 감옥에서 하루하루를 어떻게 보내는지 살펴보고 차이점을 찾아 보세요.

6 다 쓴 글을 친구나 부모님 앞에서 발표해 보세요. 그리고 듣는 사람이 고개를 끄덕이는지 아니면 고개를 갸우뚱하는지 반응도 살펴보세요. 발표가 끝난 후 평가도 부탁해 보세요.

가이드북

GUIDE BOOK

작품의 전체 줄거리

마르세유의 젊은 선원 에드몽 당테스는 곧 파라옹호의 선장이 되고, 약혼녀 메르세데스와도 결혼을 할 예정이었습니다. 그런데 그를 질투한 당글라르와 페르낭, 그리고 빌포르 검사의 음모에 휘말려 악명 높은 이프 성에 갇히고 맙니다. 당테스는 감옥에서 파리아 신부를 만나 여러 가지 학문을 배우면서 복수를 결심합니다. 14년이 지나고 마침내 감옥을 탈출한 당테스는 파리아 신부가 알려 준 엄청난 보물을 얻게 되고, 10년 뒤 몬테크리스토 백작이라는 이름으로 파리 사교계에 나타납니다. 그는 치밀하고 냉정하게 페르낭과 빌포르 검사가 스스로의 죄로 파멸하게 만듭니다. 그러나 빌포르 검사에게 복수를 하고 난 뒤, 몬테크리스토 백작은 자신의 복수가 지나쳤다는 생각을 하고, 당글라르는 그냥 용서해 줍니다. 마지막으로 몬테크리스토 백작은 모렐 씨의 아들 막시밀리앙과 빌포르 검사의 딸 발랑틴을 맺어 주고 그리스 미녀 하이데와 함께 배를 타고 떠납니다.

〈몬테크리스토 백작〉의 의미

프랑스의 소설가 알렉상드르 뒤마의 장편 소설로 1844년부터 신문에 연재되었습니다. 보물 등 호기심을 끄는 소재와 추리 소설과 같은 구성이 적절히 결합되어 대중의 마음을 끄는 뒤마의 뛰어난 솜씨를 느낄 수 있는 작품입니다. 이 작품은 주도면밀하고 치밀한 복수극이 주는 긴장감과 카타르시스, 화려한 문장, 몬테크리스토 백작이라는 인물이 갖는 매력 등이 어우러져 뒤마의 작품 가운데서도 대표작으로 손꼽힙니다.

〈몬테크리스토 백작〉은 대중 소설의 모범으로 손꼽힐 정도로 오늘날에도 널리 사랑받고 있습니다. 영화로는 여러 번 만들어졌고, 애니메이션과 만화 등으로도 활발히 재창작되고 있습니다.

1-1 사고 영역 _ 사실적 이해

본문을 잘 읽었는지 확인하는 문제입니다.

파리아 신부가 죽자 간수들은 시체를 밖으로 옮기기 위해서 자루 속에 집어넣었습니다. 당테스는 간수들이 자리를 비운 틈에 파리아 신부의 시체를 자신의 방으로 옮기고 자신이 자루 속으로 들어갔습니다. 그 사실을 모르는 인부들이 자루를 옮겨 바다에 던졌고, 그렇게 해서 당테스는 감옥을 탈출할 수 있었습니다.

1-2 사고 영역 _ 사실적 이해

본문을 잘 읽었는지 확인하는 문제입니다.

몬테크리스토 백작은 복수를 위해서 정체를 감추고 있었던 것입니다. 만약 복수를 하기 전에 정체가 드러나면 자신을 불행에 빠뜨렸던 자들이 미리 눈치를 채서 계획에 차질이 생기게 되고, 오히려 먼저 해를 입을 수도 있기 때문입니다.

CHECKPOINT

본문의 줄거리와 세부 사항들을 잘 파악하고 있는지 확인합니다.

2 사고 영역 _ 비판적 사고

문제의 이유를 분석해 보면서 비판적 사고력을 기릅니다.

몬테크리스토 백작은 아주 오랫동안 시간을 들여서 복수의 대상들을 조사한 다음에 천천히 복수를 가했습니다. 몬테크리스토 백작이 이러한 복잡한 방법으로 복수를 하기로 결정한 이유는 이전에 그만큼 커다란 고통을 받았기 때문일 것입니다. 몬테크리스토 백작은 억울한 누명을 쓰고 감옥에서 14년이나 보내는 커다란 고통을 겪었기 때문에, 법률의 힘을 빌려서 일을 해결하거나 심지어 그들을 간단히 죽이는 것으로도 원한을 풀기 힘들었을 것입니다. 그래서 자신을 불행에 빠뜨렸던 사람들이 자신이 느꼈던 만큼의 고통을 겪기를 원했을 것입니다.

더구나 몬테크리스토 백작은 감옥에서 기나긴 시간을 보내면서 인내력까지 배웠습니다. 그래서 복수할 대상들에 대해서 철저하게 조사한 다음에 그들이 스스로의 죄로 인해 파멸하도록 만들었습니다. 긴 시간이 걸렸지만 그만큼 잔인하고 철저한 복수 방법이었습니다.

CHECKPOINT

작품에서 행해진 복수의 성격에 대해서 이해해야 합니다.

사고 영역 _ 창의적 사고

자유롭게 상상해 보면서 창의력을 길러 봅니다.

이 작품에서 보물은 몬테크리스토 섬의 깊숙한 동굴에 감추어져 있었습니다. 그것도 동굴 안에 이중 장치를 만들어서 말입니다. 이처럼 보물을 숨길 때는 가장 먼저 누구에게도 발견되지 않도록 하는 게 중요할 것입니다. 여러분이 보물을 감춰 두기에 가장 안전하다고 생각하는 장소는 어디인지 생각해 봅니다.

예를 들어 산에 땅을 파고 묻어 놓을 수도 있을 것입니다. 아니면 누구도 상상하지 못하는 폭포 뒤 동굴 같은 공간에 감출 수도 있을 것입니다.

아니면 방향을 전혀 달리해서 생각해 볼 수 있습니다. 누구도 보물이 있을 거라고 생각지 못한 평범한 장소가 오히려 더 안전하다고 생각할 수도 있을 것입니다. 예를 들어 보석을 장난감 상자 속에 아무렇게나 넣어 두면, 누구도 그것이 보물이라고 생각지 않을 것이고 훔쳐 갈 생각도 하지 않을 것입니다.

이 문제는 정답이 없는 문제이므로 자유롭게 생각하고 이야기해 봅니다. 기발하거나 남들이 잘 생각하지 못하는 특이한 생각을 하는 것도 좋습니다.

CHECKPOINT

자유롭게 자신의 생각을 말할 수 있어야 합니다.

4 사고 영역 _ 논리적 사고

주어진 주장을 옹호하거나 반대하는 논증을 만들어 보면서 자신의 의견을 주장하는 올바른 방법을 배우게 됩니다.

'몬테크리스토 백작의 복수는 정당하다.'고 주장한다면, 이때는 '모든 복수는 정당하다.', '당한 것이 있으면 갚아 주는 것이 당연한 일이다.'라고 근거를 제시해 줄 수 있습니다. 또 모든 복수가 정당한 것은 아니지만 몬테크리스토 백작의 복수는 정당하다고 주장하는 방법도 있습니다. 이때는 몬테크리스토 백작의 복수가 어느 정도 도덕성을 갖고 있었다는 근거를 찾아야 합니다. 예를 들어 몬테크리스토 백작이 무분별하게 살인을 저지르지는 않은 것을 근거로 들 수 있습니다.

'몬테크리스토 백작의 복수는 정당하다.'는 주장을 반박하려면 옹호하는 주장과는 반대의 근거를 들어 주면 됩니다. '모든 복수는 옳지 못하다.', '복수는 또 다른 복수를 낳는 범죄 행위다.'라고 근거를 말해 줄 수 있습니다. 또 어떤 복수는 정당하고 어떤 복수는 정당하지 못한데, 몬테크리스토 백작의 복수는 정당하지 못하다고 말할 수도 있습니다. 이때는 백작의 복수가 갖고 있는 도덕적 결함 등을 근거로 제시해 주어야 합니다. '복수하는 과정에서 몬테크리스토 백작은 아무 죄 없는 어린아이까지 죽게 만들었다.' 등의 근거를 제시해 줄 수 있을 것입니다.

CHECKPOINT

주장을 뒷받침하는 타당하고 적절한 근거를 제시하는 것이 중요합니다.

5 사고 영역 _ 논리적 사고

차이점을 발견하고, 그 차이점을 작품 전체의 의미와 연관시켜 보는 문제입니다.

제시문은 〈몬테크리스토 백작〉의 일부분으로 당테스와 파리아 신부가 처음 만나는 부분입니다. 제시문에 나타나는 당테스와 파리아 신부의 태도에는 차이점이 있습니다.

당테스는 누명을 쓰고 감옥에 갇혀서 삶의 의욕을 잃은 상태였습니다. 그는 몹시 괴로워하다가 죽음을 결심했습니다. 그러나 파리아 신부는 보다 적극적인 태도를 보여 줍니다. 그는 탈출하기 위해서 굴을 파기도 하고, 글을 쓰고 공부를 하는 등 삶에 대한 의욕을 놓지 않고 있습니다.

파리아 신부의 긍정적인 태도는 당테스에게도 영향을 주어서 그가 다시 삶의 의욕을 되찾도록 만들어 주었습니다. 여기에서 우리는 삶에서 '희망'이 갖는 중요성이 어떤 것인지 읽을 수 있습니다. 희망을 놓지 않고서 생활하는 파리아 신부의 긍정적 태도는 어떤 상황에서도 어려움을 이겨 내고 삶을 살아가게 만들었고, 정신이 파괴되지 않도록 해 주었습니다. 게다가 그의 희망은 당테스에게도 전염이 되어 당테스가 삶을 포기하지 않고 다시 살아갈 힘을 얻게 만들었습니다.

CHECKPOINT

두 사람의 삶의 태도에서 부정적 태도와 긍정적 태도를 파악할 수 있어야 합니다.

다음 글은 예시 답안입니다. 참고하시기 바랍니다.

제시문에서 당테스는 처음에 완전히 삶의 의욕을 잃은 모습을 보입니다. 그는 분노와 절망만을 거듭하다가 마침내 삶을 포기하려 합니다. 그러나 파리아 신부가 보여 준 모습은 다릅니다. 그는 감옥을 탈출하기 위해 굴을 파는 등 절망적인 상황에서 벗어날 길을 찾아서 최선을 다했으며, 비록 갇힌 몸일지라도 글을 쓰고 공부를 하는 등 자기 자신을 잃지 않으려고 노력했습니다.

당테스가 희망을 잃고 있었다면 파리아 신부는 여전히 희망을 갖고 있었던 것이지요. 게다가 파리아 신부의 이런 모습은 당테스에게 파급력을 발휘하여 당테스가 새 희망을 갖도록 만들었습니다.

삶을 포기하려 했던 당테스는 파리아 신부로 인해 다시 희망을 갖게 되면서 감옥 안에서의 생활 태도를 바꿀 수 있었고, 이것은 훗날 그가 '몬테크리스토 백작'이 되는 데 크게 도움을 주었습니다.

여기에서 우리는 삶에서 희망을 잃지 않는 것이 얼마나 중요한 것인지 알 수 있습니다. 희망은 어떤 어려운 상황에서라도 그 일을 견뎌 낼 수 있게 하는 원동력입니다. 몬테크리스토 백작이 마지막에 '기다려라! 그리고 희망을 가져라!' 라고 말한 것은 희망 없는 지옥을 경험해 본 자가 친구에게 해 줄 수 있는 최상의 조언이었던 것입니다.

1 동물농장
2 걸리버 여행기
3 좁은 문
4 돈 키호테
5 죄와 벌
6 정글북
7 지킬 박사와 하이드
8 전쟁과 평화
9 지구에서 달까지
10 허클베리 핀의 모험
11 비밀의 화원
12 이상한 나라의 앨리스
13 아큐정전
14 변신
29 파우스트
30 파랑새
31 톰 아저씨의 오두막
32 폭풍의 언덕
33 작은 아씨들
34 알프스 소녀 하이디
35 크리스마스 캐럴
36 보물섬
37 톰 소여의 모험
38 80일간의 세계일주
39 사람은 무엇으로 사는가
40 안네의 일기
41 어린 왕자
42 꼬마 철학자
다음 작품은 루시 모드 몽고메리의 〈빨간 머리 앤〉이야.
56 해저 2만 리
57 별
58 적과 흑
59 압록강은 흐른다
60 시튼 동물기
61 도리언 그레이의 초상
62 난중일기

15 레 미제라블
16 어머니
17 오즈의 마법사
18 허풍선이 남작의 모험
19 도련님
20 제인 에어
21 올리버 트위스트
22 피터 팬
23 위대한 개츠비
24 닐스의 이상한 모험
25 오만과 편견
26 로빈슨 크루소
27 홍당무
28 타임머신
43 장 크리스토프
44 오페라의 유령
45 삼총사
46 테스
47 1984년
48 파브르 곤충기
49 검은 고양이
50 베니스의 상인
51 노트르담의 꼽추
52 삼국유사
53 바람과 함께 사라지다
54 열하일기
55 키다리 아저씨
63 쿠오바디스
64 몬테크리스토 백작
주근깨, 말라깽이, 빨간 머리! 누군지 알겠니? 바로 고아 소녀 앤 셜리야. 오늘 초록 지붕 집에서는 어떤 일들이 벌어질까?
나는 앤의 상상력이 다 어디서 나오는지 정말 궁금해.
〈빨간 머리 앤〉은 가슴이 따뜻해지는 작품이야.
논술 명작 65
빨간 머리 앤